DANS LA MÊME SÉRIE

Didier-Georges Gabily, *L'Au-Delà*
Malika Wagner, *Terminus nord*
Jean-Pierre Thibaudat, *l'Orson*
Gérard Noiret, *Chroniques d'inquiétude*
Philippe de la Genardière, *Morbidezza*
Catherine Chauchat, *Little Italy*
Tassadit Imache, *Le Dromadaire de Bonaparte*
Jean-Paul Goux, *La Commémoration*

« GÉNÉRATIONS »
Conception, direction littéraire :
Marie-Catherine Vacher et Bertrand Py

Maquette de couverture :
Sabine Amoore

«GÉNÉRATIONS»

Ying Chen

L'INGRATITUDE

DU MÊME AUTEUR

LA MÉMOIRE DE L'EAU, roman, Leméac, 1992.
LES LETTRES CHINOISES, roman, Leméac, 1993.

L'auteur a bénéficié d'une subvention du Conseil des arts du Canada pour la rédaction de ce roman.

ISBN 2-7609-1518-2

ISBN 2-7427-0589-9

Illustration de couverture :
Antonio Corradini, *La Pudeur*, 1751 (détail)
Chapelle Sansevero, Torremaggiore

Ying Chen

L'INGRATITUDE

roman

LEMÉAC / ACTES SUD

1

Ils jettent mon corps sur un petit lit roulant, au milieu d'une salle blanche et sans fenêtres. Leurs mouvements sont brusques. Ils me traitent de criminelle. Quand maman n'est pas là, ils ne dissimulent pas leur dégoût.

En général, ils respectent davantage les déjà-morts que les encore-vivants car, devenus moins humains et surtout moins fragiles, les premiers peuvent acquérir, du jour au lendemain, plus d'intelligence, plus de talent, plus de vertu, donc plus de valeur. Mais c'est différent dans mon cas. Ma mort est une honte démesurée, car je m'y suis condamnée moi-même, j'en ai exécuté la peine moi-même. Ils m'en veulent de ce que je ne les aime pas assez, que je m'enfuie de leur royaume. Ils ne graveront pas mon nom sur une pierre comme ils le font pour tant d'autres. Au contraire, ils s'empressent de m'éliminer de la surface de leur terre. Mais il y a bien d'autres corps à brûler. Sur la voie du néant comme sur toutes les autres, il faut faire la queue. Garder la vertu de la patience. Attendre avec un sourire compréhensif.

Pendant ce temps, une araignée élargit son terrain au plafond et les gens viennent me voir. Avec le parfum de l'encens montent des bredouillements curieux et des sanglots sincères :

— Encore trop jeune, dit-on.

— Et très jolie, en plus.

— Mais avec des idées, hélas... On dit qu'elle a laissé une lettre étrange, vous ne le savez pas ?

— ... sa pauvre mère.

Ils sont donc allés jusqu'à fouiller la poubelle du restaurant Bonheur et maman a eu peut-être la chance de lire ma lettre. Mais tout cela n'est-il pas qu'un jeu enfantin ? En fait, une lettre ne peut pas l'affecter davantage. La coquille de sa tête ne s'ouvre pas pour la mauvaise conscience. Ma mort elle-même suffit à prouver qu'elle est innocente et moi plus que jamais ingrate. J'ai franchi une frontière défendue aux jeunes. Maman ne veut rien savoir de la mort, comme elle ne veut rien savoir des hommes qui me plaisent. Mourir jeune, c'est violer les lois divines. C'est plus immoral que de montrer ses jambes.

— Je te prie de rester encore un peu avec nous, vient me dire grand-mère. Nous ne supportons pas ce silence infini où tu enterres les tumultes de ton âme. Il faut que tu parles. Tu peux maudire ta pauvre mère, si tu le préfères, maudire tout le monde et m'accabler d'injures. Mais parle ! Sur notre tête, décharge ton chagrin. Ainsi, tu auras un voyage facile. Et nous ne serons pas consolés autrement...

Puis elle va poser une main sur l'épaule de maman qui ne bouge pas, qui supporte miraculeusement cette main ennemie.

— J'aurais préféré la remplacer, m'en aller avant elle, murmure grand-mère.

Maman arrête de sangloter. Elle réfléchit quelques secondes, puis l'approuve d'un signe de tête. J'aperçois un mouvement de ses lèvres. J'entends mal. Mais je devine ses paroles : oui, belle-mère, vous avez rarement raison mais, sur ce point, je suis d'accord... vous auriez dû partir avant elle.

J'inspire et retiens mon souffle pour me donner du poids. Je plonge. Je veux m'approcher de maman. J'aimerais moi aussi mettre une main sur son épaule inaccessible. Mais la fumée me repousse constamment. Sur la frontière entre la vie et la mort, cette fumée se comporte en gardienne implacable. La senteur de l'encens me suffoque, sa fumée m'aveugle. Je réalise alors la conséquence de mon acte. Je suis en exil maintenant. Le retour est impossible. Impossible, ne serait-ce que pour un court instant, dans l'honnête intention de toucher l'épaule de maman une dernière fois. Déjà, elle est très loin, emprisonnée dans cette pièce nue, penchée sur mon corps qu'elle tente de reconnaître, qu'elle n'a jamais reconnu.

2

Après tout, je trouve bonne ma solution. Il faut bien que je la trahisse, elle avec sa voix de sirène et son front de fer. Notre relation manquait d'éclat. Nous étions comme un vieux couple entre lequel tout était devenu mou, attendu, détérioré. Nous avions besoin d'une séparation brutale, d'un déracinement féroce pour sortir de la torpeur et nous redécouvrir, sinon pour nous abandonner définitivement.

Tout se passe comme prévu. Elle pleure penchée sur mon corps défraîchi. Mon visage est d'une couleur de poussière. Elle doit maintenant faire face à cette fastidieuse réalité : elle n'arrive quand même pas à tout calculer et tout arranger à son goût, et les choses ne vont pas toujours pour le mieux, malgré elle ni grâce à elle. Je suis hors de sa portée maintenant. Elle m'a perdue. Tout le monde est au courant de cette perte. Désormais, lorsqu'on parlera des enfants, elle fermera bien sa bouche. Elle n'affichera pas cet air expert en disant : Vous savez, l'éducation familiale est très importante. Elle n'aura plus le plaisir d'étaler devant les autres son expérience de mère, les règles qu'elle avait établies au cours des années et qu'elle appliquait avec rigueur pour redresser ma nature obscure. Ou simplement, on ne parlera plus des enfants devant elle. On aura pitié d'elle. On se dira dès lors que les méthodes de cette mère ne sont peut-être pas incontestables. On ne l'écoutera plus. Et tout cela à cause de moi. Je lui ai défait sa gloire, moi ! J'ai déclaré nulle sa compétence, son point fort. Je l'ai obligée à démissionner de son poste de mère. Je l'ai anéantie.

Elle s'étonnera de mon acte. Elle se souvient sans doute encore de mes regards craintifs et de mon dos courbé en sa présence. Elle remettra en question mon manque d'intelligence et de tempérament, puisqu'elle-même n'osera jamais un geste pareil. Les gens ordinaires ne s'achèvent pas. Ils s'accrochent à la vie, à n'importe quelle vie. Même si, quelquefois, ils se sentent épuisés par les autres et surtout par eux-mêmes, ils ne le disent pas. Ils se cachent derrière un sourire crispé. Ils sonnent faux quand ils rient aux éclats. Ils restent en vie. Ils n'osent même pas prononcer de mots funèbres. Ils évitent les actes excessifs. Ils ont peur des conséquences, d'être considérés comme anormaux et de devenir très laids en mourant. De toute façon, ils gardent espoir même s'ils voient bien qu'aujourd'hui n'est jamais meilleur qu'hier et qu'ils n'ont rien de bon à attendre de demain. Maman se dira qu'il s'agit peut-être d'une personne particulière, moi. Elle s'en voudra de ne pas me comprendre, malgré toutes ces années où elle m'a logée, nourrie, lavée, grondée, habillée, tournée et retournée. Une enfant – car je suis à jamais son enfant à elle – qui n'est pas comme les autres. Une fille apparemment médiocre mais brave au fond, qui la dépasse de loin. Elle aura l'impression de manquer le dernier autobus au crépuscule de sa vie. En lisant ma lettre retrouvée, elle comprendra, mais trop tard, que cet autobus l'a attendue, silencieusement, durant toutes ces années regrettables, dans l'espérance de l'emmener à un probable jardin de bonheur. Maintenant il est parti, cet autobus, sans elle, en accomplissant sa destinée dans un accident peut-être volontaire.

Alors elle se repentira de ses caprices et de sa tyrannie. Son estomac se pincera en contemplant devant elle le chemin déserté. Puisqu'elle n'a pas le courage de mourir, elle va continuer à traîner ses pas, seule, fatiguée et sans espoir.

3

Je n'aurais pas dû reporter ce plan nourri de si longue haleine. Depuis que je me savais condamnée à avoir une mère et un père. Sans eux, la vie aurait été plus facile. Quand j'allais à l'école, j'enviais les orphelins, leur liberté de jouer autant qu'ils le voulaient et de redoubler le plus possible leurs classes. J'avais rédigé des critiques virulentes contre le père de notre féodalisme. À bas Kong-Zi, écrivais-je, sinon notre civilisation succomberait dans la boue de ses origines, notre génération serait perdue dans les mains de nos parents, et moi je mourrais aux pieds de ma mère! La maîtresse d'école était fière de moi.

Je n'avais pas peur de m'élancer par la fenêtre. Ni de me faire écraser la tête par un autobus. *To be or not to be* ne me semblait pas une question intelligente. Les choses intelligentes, je n'en trouvais pas beaucoup dans les livres. Sinon j'aurais eu plus de respect envers papa qui écrivait des livres. Pour une fois, maman était d'accord avec moi. Elle pensait que je gaspillais mon temps à lire les pages jaunies: Kong-Zi avait peut-être mille torts, mais quand il disait que l'ignorance était une vertu pour les femmes, il n'était pas loin de la vérité. Alors je souriais. Un sourire qui selon maman était capable d'endurcir les cœurs les plus tendres. Un sourire qui semblait dire: Oui, je le sais, maman, il n'y a que l'ignorance qui puisse prolonger notre sommeil, notre paix intérieure et donc notre charme.

Et je me moquais de beaucoup d'autres choses. Je ne voulais pas, par exemple, entendre parler des psychologues qui considéraient tout le monde malade. Je les trouvais eux-mêmes malades, plus malades que papa, professeur vingt-quatre heures sur vingt-quatre. Ces gens-là avaient une vision très particulière. Lorsqu'ils regardaient quelqu'un, ils ne voyaient que son cerveau. Et le cerveau, c'est un tas de chair humide, qui n'est décidément pas plus beau que d'autres tas de chair, ni plus propre. J'avais un peu peur de tomber dans leurs mains, de me faire vérifier le fonctionnement du cerveau, une fois le suicide manqué. Dans le cas contraire, ma plus grande crainte concernait mes amis. Leur pitié et leur désarroi, pensais-je toujours, seraient durs à digérer par mon âme. Mais mon âme méritait-elle plus d'attention que mon corps ? Lorsque le président Mao nous disait que Docteur Bethune avait sacrifié sa vie au peuple chinois et que sa mort était alors plus lourde que les montagnes, il était question de son âme, évidemment. Or, grand-mère affirmait que les âmes étaient toutes plus légères que les corps.

Maintenant, en flottant au-dessus de cette fumée d'encens qui donne le vertige, j'apprends que grand-mère a raison, même si les gens ne veulent pas y croire. Ils collent à la vie comme les plumes à l'oiseau sans se rendre compte de l'insignifiance de leur poids. Ils haïssent ceux qui préfèrent débarquer, abandonner une vie qu'ils ne possèdent pas, sauter dans le vide qui, lui au moins, prolonge. Ils les accusent de lâcheté afin de prouver leur propre bravoure. Ils se permettent d'évaluer les morts. Ainsi, d'une époque à l'autre, il y a des morts différentes : pesantes ou légères, héroïques ou lâches, valables ou inutiles, vertueuses ou immorales. La mort est devenue une chose comme les autres auxquelles ils attribuent un prix qui varie selon leur humeur.

4

Je brûlais d'envie de voir maman souffrir à la vue de mon cadavre. Souffrir jusqu'à vomir son sang. Une douleur inconsolable. La vie coulerait entre ses doigts et sa descendance lui échapperait. Mon corps commençant à pourrir par ces journées chaudes, ses gènes cesseraient de circuler dans mes veines, se perdraient au fond de la terre uniforme. Elle n'aurait plus d'enfant. Sa fille unique s'envolerait loin d'elle ainsi qu'un coup de vent mortel croise un arbre en le secouant, mais sans s'arrêter, impitoyable.

Pour en obtenir le meilleur effet, la patience était nécessaire. Il serait important de lui laisser une lettre très douce, disant que je l'aimais vraiment, qu'elle était mon seul vrai amour et que j'allais mourir pour elle. Ce n'était pas une chose facile. Maman était si perspicace. Il me fallait faire de grands efforts afin de gagner sa confiance. Mon amour pour elle était ce qu'elle désirait le plus dans sa vie, et en même temps la dernière chose au monde à laquelle elle croyait. Je devais donc faire attention. Il me fallait de l'imagination. Je devais songer à une mère fictive, emprunter un ton raisonnable, appliquer çà et là quelques touches de tendresse réservée. Je soignerais bien les mots et les expressions. Qu'ils ne soient ni trop sucrés ni trop amers. Quelques larmes seraient utiles pour relever le goût du papier. Mais il fallait les refroidir avant de les servir...

5

Le restaurant Bonheur semblait très accueillant. Les miettes de riz collaient aux tables et les os de poulet traînaient sous les chaises. Je m'assis près de la fenêtre. La patronne s'élança vers moi. Son visage s'ouvrit comme un chou.

— Je viens ici, lui avouai-je, parce que je ne sais pas où aller.

— Mais c'est très bien, s'exclama-t-elle. C'est très bien de ne pas savoir où aller. Et puis, on arrive toujours quelque part. À un bon endroit, je veux dire.

Elle me contempla attentivement pendant deux ou trois secondes. Elle voulut savoir si mes parents étaient en bonne santé, si j'avais quelqu'un dans la vie, *et cætera.*

— J'ai une lettre importante à rédiger.

Agacée, elle s'en alla vers les autres tables en s'excusant :

— Non, ne vous en faites pas, je ne vais pas vous déranger. Je veux dire, je ne dérange pas les intellectuels.

Je sortis une feuille. J'y dessinai le mot Maman avec application. Mais je dus tout de suite lâcher le stylo. Le mot s'était trempé de crépuscules rougeâtres qui provoquaient mon écœurement. Je regardai dehors. Les piétons défilant sous la fenêtre me gênaient la vue. Soigneusement habillés, ils venaient dans cette rue multicolore pour se donner l'illusion de mener une vie parisienne, ou presque. Les taxis y passaient fréquemment, dépassant les bicyclettes avec fierté et ne pouvant s'empêcher de klaxonner de triomphe. Ces bruits aigus et secs rappelaient la voix de maman.

Maman avait encore oublié mon anniversaire, elle qui avait une très bonne mémoire. La peine que je lui avais causée en venant au monde ne l'avait pas aidée à se remémorer cette date. Elle avait sur son ventre une ligne foncée en forme de serpent. Quelquefois, dans les bains publics, nous nous épiions en silence. Je ne posais pas de questions et elle faisait mine de ne pas remarquer mon embarras. J'étais donc sortie de là! De ce ventre mou, sale et gonflé de gras. J'aurais préféré naître d'une pierre ou d'une plante sans nom. Mais la ligne foncée sur ce ventre étranger me criait en pleine figure: Tu ne peux pas m'échapper, c'est moi qui t'ai formée, ton corps et ton esprit, avec ma chair et mon sang – tu es à moi, entièrement à moi! À en croire grand-mère, j'avais tardé à venir. J'avais résisté de mon mieux contre les entrailles de maman qui me poussaient impérieusement vers une voie glissante, laquelle me conduirait au sortir du néant, à l'entrée d'une vie hypothétique, à ma destinée d'enfant de cette femme. Oui, les bras de maman m'attendaient tandis que son corps s'empressait de m'expulser. Elle avait dû blâmer mon entêtement pendant une dizaine d'heures avant qu'on lui ouvre le ventre.

Or, maman disait toujours qu'il lui était mille fois plus pénible de me voir grandir que de me mettre au monde. Car, en grandissant, je lui ressemblais de moins en moins. Ni d'ailleurs à mon père. Tout le monde disait que j'avais le front de mon père et les joues de ma mère. Mais tant que mon visage n'était pas découpé, ces ressemblances restaient très incertaines. Par le tempérament, j'étais presque leur contraire. Je ne pouvais jamais, par exemple, prononcer la phrase préférée de maman sans rougir jusqu'au cou: Je fais ça pour ton bien. Vouloir s'occuper du bien des autres n'était-il pas une tentative de pillage et de viol? Je n'arrivais pas non plus à raisonner comme mon père sans perdre la tête, avec des car, des par conséquent, des bien que, des néanmoins... Maman supportait mal tout cela. Alors qu'à travers les éclaboussures de la douche je fixais son ventre, elle examinait mon corps du regard exigeant et lucide d'une inconnue. J'avais parfois l'impression qu'elle avait envie de m'avaler vivante, de me reformer dans son corps et de me faire renaître avec une physionomie, une personnalité et une intelligence à son goût.

Je cherchais en vain à lui plaire. J'essayais de me bien comporter. Je faisais le ménage. Je mangeais modérément. Je consacrais huit heures par semaine à l'apprentissage de la couture. Je sortais peu. Je fermais les yeux sur les hommes et les oreilles sur leurs affaires. Je me joignais doucement aux bavardages de mes tantes et de mes voisines. Et, avec un sourire prolongé, j'approuvais tout. Je n'avais presque pas de défauts. Une fille parfaite. Une fille digne de sa mère. Mais on ne pouvait pas vraiment plaire à une mère après lui avoir fait mal en venant au monde. On ne pouvait pas réparer cette blessure trop violente du corps qui ensuite devenait celle du cœur. Maman récompensait tous mes efforts en me qualifiant de petite hypocrite. Elle croyait, et ce avec raison, que j'étais au fond exaspérée par les ouvrages féminins, gourmande, sensible aux hommes et d'esprit très critique. Déçue par toutes ces bassesses, elle me trouvait pitoyable. Parfois, après m'avoir grondée pendant le repas, avant de quitter la table taciturne, elle se disait soudainement : Ça ne vaut pas la peine. Et je l'interrogeais : Qu'est-ce qui ne vaut pas la peine, maman ? Elle ne répondait pas. Je devinais qu'elle regrettait d'avoir voulu un enfant. Elle regrettait surtout que ce soit moi, et pas un autre, qui soit descendue de son corps. Mais au nom de l'honneur de la famille, elle se croyait tout de même tenue de garder un œil ouvert sur moi, afin d'éviter le mieux possible les scandales et de m'assurer un bon avenir, c'est-à-dire un mariage convenable, peut-être comme le sien avec mon père.

6

Moi je n'oubliais pas mon anniversaire. Si j'avais pu choisir, j'aurais préféré mourir dans la chaleur discrète du corps maternel. Mourir avant l'apparition de toute conscience. Me transformer en jets de sang qui survivraient dans la terre noire. Maman aussi avait peut-être souhaité cela quand les choses allaient mal entre nous. En pensant que, ce jour-là, encore couchée dans le lit ensanglanté, maman m'avait serrée dans ses bras avec la fierté du créateur, la grâce du donneur et la précaution du propriétaire, je ne pouvais m'empêcher de croire que le jour de ma naissance était déjà celui de ma défaite. On ne m'avait pas demandé mon avis avant de me jeter au monde. Alors j'espérais qu'au moins on me laisserait choisir le moment de mon départ.

Je ne me fêtais donc jamais, histoire d'oublier le mieux possible la douce humiliation que m'avait imposée ma naissance. De ne pas rouvrir cette plaie que je portais dans la tête depuis mes premiers jours, comme maman la portait sur son ventre. Parfois, emportée par la mauvaise humeur, je criais tout bas : Je ne vous dois rien, maman, vous qui avez toujours l'ambition de me faire vous ressembler, vous qui vivez partiellement dans mon corps sans que je vous aie invitée et décidez en grande partie mon destin. Ah ! Quel tyran vous êtes ! Mon docteur me posait toujours des questions sur l'état de santé de mes parents, comme si la qualité et la durée de ma vie dépendaient d'eux ! Je comprenais enfin que ma vie ne m'appartenait pas entièrement. J'en voulais donc à mes parents, surtout à maman. Pourquoi donner une vie en sachant presque dès le début comment cela allait finir ? Je ne supportais pas cela, moi. J'avais vécu en tant que l'enfant de ma mère. Il me fallait mourir autrement. Je terminerais mes jours à ma façon. Quand je ne serais plus rien, je serais moi.

Maman devinait mes pensées obscures. Elle s'épuisait à corriger cette ingratitude en me punissant. En m'empêchant de dormir la nuit et en m'obligeant à écrire des autocritiques. Elle croyait pourtant que les montagnes pouvaient se déplacer alors que les êtres ne changeaient jamais. Elle savait juger les gens dès qu'ils avaient trois ans. D'après maman, j'avais eu une enfance passive, c'est-à-dire que je m'étais montrée obéissante et craintive devant elle, ce qui lui avait plu et déplu à la fois. Elle avait des soupçons sur mon amour pour elle. Sans que j'en connaisse la raison, sa présence à la maison m'étouffait autant qu'un ciel d'orage ou une mélodie triste. Souvent, je m'arrêtais de jouer à son apparition, figée sur place et désirant m'enfuir. Je disais à mes cousins que maman était sévère, ils ne partageaient pas mon opinion. J'avais donc des préjugés vis-à-vis de maman. Un enfant, croyait-elle, qui aime ses parents n'aurait jamais d'opinion sur eux. Or je n'arrivais pas à aimer mes parents sans jugement et sans condition. Je ne les trouvais pas plus beaux ni plus brillants que les parents des autres. Alors je ne les flattais pas. Je ne voulais pas mentir. J'espérais seulement me cacher dans l'obéissance.

J'étais ingrate envers eux, car je l'étais envers la vie qu'ils m'avaient donnée. Je pourrais peut-être les aimer un peu, en les considérant comme de simples copains se trouvant par hasard sur mon chemin et qui n'avaient rien fait d'important pour ma naissance ni pour ma survie. Hélas, ils se jetteraient dans la rivière s'ils entendaient cette insolence. Le simple fait de naître d'abord et de rester vivant ensuite n'était-il pas déjà un immense bonheur ? Que voulait-on de plus alors ? Je t'ai toujours donné l'essentiel, affirmait maman.

Mais je ne devais pas lui écrire avec cette franchise agaçante qui, à ma mort, lui serait la meilleure consolation. Qu'y pouvait-elle quand le ciel lui même décidait de punir cette fille méchante, rebelle à l'ordre des choses ? La perte d'une fille comme moi n'ébranlerait pas son statut de mère. Elle resterait ma maman. Elle continuerait à jouir des avantages de mère : me gronder, avoir pitié de moi, me donner des leçons en commençant par : « Tu aurais dû... » Elle ferait tout cela tant qu'elle le voudrait, sans avoir désormais à supporter mes bouderies. Mais je ne lui donnerais pas une telle satisfaction. Il fallait d'abord me calmer. Il s'agissait de susciter en elle non pas la haine mais le chagrin. La haine passe, le chagrin demeure...

7

La patronne du Bonheur avait eu l'imprudence de me qualifier d'intellectuelle, j'en aurais été très fâchée en d'autres circonstances. Mais, ce jour-là, je ne faisais pas d'histoires. Bien qu'encore vivante, mes réflexes s'atténuaient déjà. Mes nerfs relâchés, je n'éprouvais ni colère ni tristesse. D'ailleurs, il était vrai qu'assise devant la table avec mon papier et mon stylo, je pouvais ressembler à mon père.

Papa passait presque tout son temps dans son bureau. Il se plongeait dans les livres comme autrefois. Seulement, tandis que son corps bougeait beaucoup, les pages tournaient rarement. Le vent pénétrait par la fenêtre et faisait voler ses feuilles. Les lunettes lui glissaient sur le nez. Il lui fallait ranger les feuilles, rajuster ses lunettes de la main gauche et tenir de la main droite un stylo qui, pendant des heures, ne laissait aucune trace sur le papier. Il devait lutter contre tant de choses. Contre ses lunettes, son stylo et ses feuilles. Contre le vent et la fatigue. Contre les images illogiques peut-être qui filaient dans sa tête. Contre mes pas exagérément étouffés et les cris de maman. L'air sérieux, le dos dressé, le cou penché en avant et la main droite portée au front, il était la statue incarnée du savant à l'étude.

Depuis le jour où il avait été heurté par un camion et était rentré à la maison avec l'affirmation des médecins qui le croyaient sorti miraculeusement intact de cet accident, papa ne produisait plus d'essais polémiques. Ses lecteurs se souvenaient encore, les uns avec nostalgie et les autres avec rancune, de l'élégance de son style, de la conviction de ses arguments et surtout de cette manière qui lui était propre de tout expliquer par des *ismes.* Au début, papa allait encore régulièrement à la Faculté. Mais comme il semblait oublier ses matières, la direction lui avait proposé d'anticiper sa retraite.

Maman était contente de cet incident. Il est trop dangereux de traiter de politique dans ce pays, déclarait-elle, on ne vit pas en Amérique, il faut toujours prendre en considération notre réalité à nous. Depuis un certain temps, depuis qu'on commençait à parler de l'ouverture à l'étranger, maman essayait de ramener la nouvelle situation à la hauteur de sa vieille croyance : par bonheur, son pays et son peuple différaient de beaucoup des autres ; n'empêche que, afin d'affronter les influences nouvelles et de rester plus que jamais nous-mêmes, il était nécessaire de nous fortifier le cerveau et d'améliorer notre système immunitaire. Qui sait, ajoutait-elle, si cet accident tombé sur ton papa, un homme pourtant alerte, n'était pas une tentative de meurtre ! Il faudrait garder un œil sur ces jeunes, ils sont affolés aujourd'hui, ils se permettent de tout dédaigner, leur profs, leurs parents et leurs ancêtres. Mais, croyez-moi, le jour où ils tueront leur passé, ils pleureront leur avenir !

Chaque nuit, en allant aux toilettes, maman faisait donc un petit détour pour aller vérifier si la porte de l'appartement était bien verrouillée. Et sous la pression de ses doigts, la serrure poussait un hurlement qui faisait sursauter toute la famille.

Maman n'avait pas avoué toutes ses pensées. Elle détestait le travail de papa pour d'autres raisons. Les dimanches matins, en m'ordonnant d'aller au marché avec elle, maman haussait la voix : Toi tu viens avec moi, ton père est trop occupé ! Elle n'osait rien dire de plus à cause d'un respect pudique pour le travail intellectuel. Elle attendait cependant quelques secondes sur le seuil et, voyant que le silence persistait dans le bureau de papa comme dans une tombe, elle fermait la porte avec violence. Peut-être maman avait-elle vu dans la retraite de papa la possibilité de reconquérir son homme et la défaite des livres et des papiers.

8

J'allai voir papa dans son bureau. Je lui apportai un thé. Il avait l'habitude de prendre du thé vers la fin de la journée. J'avais dans le cœur un sentiment doux comme le soleil couchant, une piété filiale que je voulais lui rendre pour une dernière fois. J'avais pourtant vécu dans la crainte de le déranger, de le distraire par mes vicissitudes insignifiantes, de l'arracher à ses réflexions susceptibles d'influencer le recul ou l'avancée de la planète, à son travail indispensable au salut de l'espèce humaine, ou tout au moins à la notoriété de notre famille. Je marchai donc sur la pointe des pieds, sans faire de bruit, honteuse de mon existence et désirant réduire mon corps. Je me sentais coupable de devoir interrompre un peu l'évolution du monde, comme cela, chez moi, avec une ridicule tasse de thé. Mais au moment où je comptais poser doucement le thé sur le bureau, mes mains se révoltèrent: elles tremblèrent si fort que des gouttes d'eau brûlante sautèrent sur mon poignet. Dans la hâte, je lâchai la tasse sur une feuille où se forma tout de suite un cercle humide. Je rougis. Mais je ne dis pas pardon.

Comme d'habitude, il se tourna vers moi, l'air surpris. Il me regarda comme s'il ne me connaissait pas. Puis il se détourna. Il tenait toujours son stylo dans la main. Je savais qu'il ne toucherait son thé que lorsqu'il serait à nouveau seul. Mais je ne voulus pas m'en aller. J'avais beaucoup à lui dire.

J'hésitais, ne sachant par où commencer. Je pensais que c'était un peu à cause de lui que maman et moi nous entendions comme le feu et l'eau. S'il avait été moins professeur d'université, s'il s'était soucié autant de ce qu'il y avait sur notre table à manger que de ce qui se passait au Vietnam ou en Yougoslavie, s'il était allé plus souvent au marché qu'au musée, s'il avait daigné se montrer un peu plus attentif à maman et à ce qu'elle faisait à la maison – combien de fois par semaine en effet nettoyait-elle le plancher ? la poussière qui s'accumulait dans notre demeure n'était-elle donc pas aussi importante que la ruine d'une civilisation lointaine ? – maman aurait été moins dépendante de ma présence et de ma vertu. Si seulement papa avait pu partager un peu avec moi l'énorme responsabilité de rendre heureuse cette femme qui avait tant fait pour moi et pour lui, j'aurais pu mieux respirer et peut-être vivre plus longtemps. Hélas, papa était fait d'huile et gardait comme elle une frontière avec l'eau, en poussant le feu vers la folie. C'était bien lui qui m'avait créé, en quelque sorte, une ennemie. Il n'était pas juste de me venger de maman seulement. Mais que pouvais-je faire d'autre ? Papa était intellectuel, donc imperméable. Mon suicide l'intéresserait moins que l'assassinat d'un président américain. On ne frappait que ceux qui pouvaient être frappés.

Tout était alors dans l'ordre. Tout était pareil aujourd'hui comme hier. Papa ne viendrait jamais au marché le dimanche matin avec maman et moi. Il ne me dirait jamais rien lorsque je lui apporterais du thé et le vide dans son regard sur moi ne serait jamais rempli. Depuis l'accident, d'ailleurs, ce vide semblait s'étendre de plus en plus, comme une plaie mal guérie qui envahissait le corps entier. Autrefois, sa véhémence dans les débats et son succès dans son domaine avaient été ma grande consolation. Ne comprenant rien de ce qu'il faisait, je l'avais admiré pour sa parole facile et sa tête abstraite. Si, à la maison, il n'était pas un mari modèle ni un père tendre, au moins il avait été un bon joueur de mots à l'extérieur. Tout dans son bureau, les livres, les feuilles, les stylos, toutes ces choses qui alourdissaient mon esprit n'étaient pour lui que de simples jouets. Il pouvait parler d'un livre les yeux confortablement fermés. Mais en s'adressant à ses collègues, il savait lever les paupières juste assez pour laisser échapper une lueur d'intelligence, montrer un peu ses dents miroitantes en accentuant son ton, rouler savamment sa langue afin de faire remarquer son accent standard, moduler sa voix pour mieux émouvoir, agiter ses mains avec retenue, se taire une ou deux secondes sur une belle expression... En le voyant parler, j'avais pensé à une poupée bien faite, à la fois lucide et dévouée. Il avait été le jeu lui-même. Je préférais le papa parleur au papa lecteur ou penseur.

Hélas, il n'écrivait plus et ne parlait presque pas. De temps en temps encore, je trouvais des critiques de ses anciens articles. On l'aimait à certains moments et le détestait à d'autres. Depuis l'accident, ses élèves et ses lecteurs avaient cessé de venir le voir. Et papa continuait à passer ses journées dans son bureau et à boire son thé de l'après-midi, la pâleur des papiers se reflétant dans sa chevelure.

Je le quittai sans rien dire, sans adieu. Sans lui toucher la main, ô cette main toujours indifférente, et déjà étrangère.

9

Mais comment pouvais-je en vouloir à papa? Après l'accident, il n'était capable ni de travail ni d'affection. Il était à demi-mort. Ou au moins il était devenu... un faible. Sa faiblesse adoucissait maman. Une personne bonne, disait-elle, devait avoir de la pitié.

Cette morale que maman m'avait enseignée avait brutalement diminué ma flamme de jugement. Alors j'avais développé une horreur des faibles, des gens comme mon père dont la faiblesse était devenue une arme, un feu vert aux méchancetés, une excuse à leurs lâchetés. Je m'éloignais d'eux comme des serpents endormis contre lesquels on ne pouvait pas légitimement se défendre.

Il était évident que maman n'avait plus de pitié pour moi, le seul sentiment peut-être dont elle fût jamais capable. Le seul sentiment valable. La véritable preuve d'un bon cœur. Je connaissais le goût de son cœur, moi. Elle avait plusieurs fois parlé de s'enfoncer un couteau dans la poitrine, de sortir son cœur saignant et de me faire voir comment par ma faute il vivait mal. Tu ne vois donc pas, disait-elle, que mon cœur marine dans le sel?

Ce sel était mon silence dont maman souffrait. Quelquefois, elle m'obligeait à m'asseoir auprès d'elle et à lui parler. Pourtant, elle se taisait. Elle ne me regardait pas. Elle se tenait droite sur sa chaise. Le dos de maman ne devait pas s'incliner. En attendant mes paroles, elle tricotait. Elle avait toujours des choses à tricoter. Les nerfs tendus, nous écoutions le frottement des aiguilles. Plus le temps passait, plus je me décourageais. Je fouillais en vain dans ma tête. Je n'osais pas lui raconter les anecdotes drôles susceptibles d'être immorales, ni les tristes qui pouvaient la rendre d'autant plus sérieuse. Maman avait décidé de ne jamais rire devant moi. Tout geste léger de sa part risquerait de compromettre son pouvoir sur moi. L'autorité est la garantie, disait-elle, d'une bonne éducation.

Une fois, je l'avais surprise causant et riant avec une voisine. C'était un après-midi ensoleillé. Elle était sur le balcon de sa chambre. Son corps entier rayonnait, une lumière orange couronnait son front. Je n'en croyais pas mes yeux. Cette mère tant rêvée était là, enfin, cette femme éblouissante et divine. Je m'imaginais dans ses bras, le front dans le creux de ses seins et le nez rempli de l'odeur riche de sa peau – maman sentait la rivière de notre ville. Elle s'était aperçue de ma présence. Elle marchait vers moi. Elle sortait de la lumière et ressemblait maintenant à un nuage. Je restais sur le pas de la porte, encore perplexe et heureuse. J'avais alors balbutié : « Maman... » J'avais sans doute l'air très bête, puisqu'elle avait toute de suite retiré son sourire, de sorte qu'il n'y avait plus aucune trace de vie sur son visage. Puis, elle s'était mise à m'interroger sur mes devoirs. J'étais très jalouse de ma voisine.

Ainsi, son cœur se conservait dans mon silence bien salé. Un bon cœur était essentiel à sa mission de m'éduquer. Elle y était déterminée, car c'était là son domaine, c'était un peu comme cela qu'elle participait à la création et influençait le monde.

La pitié de maman me manquait maintenant. Autrefois, ce que je désirais le plus au monde était de tomber malade. Maman se penchait alors au-dessus de mon lit pour me parler. Ce geste m'inquiétait, je craignais que le dos de maman ne se brise. Elle posait une main froide sur mon front pour mesurer ma température. Une trace de sourire se figeait sur ses lèvres. Le même sourire qu'elle avait sans doute eu le jour de ma naissance. Un sourire grave, engagé et satisfait. Je retenais mes larmes. Je respirais à peine, de peur que mon souffle ne chasse son sourire. Combien j'avais dû déplorer ma trop bonne santé.

Mais, depuis un certain temps, maman ne me classait plus parmi les faibles parce que j'avais grandi et que j'étais devenue... jeune. Maman n'aimait pas les jeunes gens. Par « ils sont jeunes », elle sous-entendait : « Ils sont bêtes ou ils sont dangereux. » Elle avait beaucoup à pardonner aux jeunes et elle ne le faisait pas facilement. Cela ne l'empêchait pas de regretter sa propre jeunesse. Ah, soupirait-elle, si je pouvais tout recommencer ! C'est pourquoi elle n'acceptait pas que les autres vivent trop : ils veulent tout changer, la jeunesse ne leur suffit pas encore, ils veulent tout avoir, tout ! Ils veulent plus que nous, plus que leurs parents qui ont eu si peu de choses, qui désirent si peu...

J'avais donc honte de ma jeunesse. Pour plaire à maman, il me fallait vieillir. Je souhaitais avoir son âge, ses enviables cinquante ans. À cinquante ans, selon Kong-Zi, on devient parfait. On se tient debout, on n'a plus de confusion et on comprend son destin. Et à force de le penser, je vieillissais effectivement. La question de la mort venait souvent me hanter. Je voyais en elle la seule possibilité de délivrance, de sortir du destin avant de le connaître, avant cinquante ans. Il m'arrivait parfois de me promener le soir dans un parc et d'essayer de réfléchir à la vie, avec une vision de vieillarde. La vie ressemblait alors à une lune dans l'étang. Elle me faisait peur. Je réalisais aussitôt qu'il ne fallait jamais réfléchir à la vie, sinon on ne pouvait plus rien faire, ni manger une cuisse de poulet, ni sortir avec les hommes, ni supporter sa mère. Pour survivre, il fallait au contraire se contenter de la jeunesse, oser plonger dans l'étang où la lune attendait, où la lumière régnait. J'en étais incapable, hélas. Je restais au bord de l'eau. Dans la nuit. Le temps se précipitait vers moi, la sagesse me rongeait les nerfs, l'ombre de maman couvrait mon corps. Je ne bougeais pas. Pendant ma soi-disant pratique de l'ascèse, je n'entendais pas maman me donner des ordres. Je devais avoir un air de stupéfaction qui l'énervait. Tu es comme ton père ! disait-elle en serrant les mâchoires.

Cette phrase éclatait au-dessus de mon crâne comme la foudre. Je ressemblais à mon père ! J'aurais comme lui une tête chauve et une peau sèche quand j'atteindrais son âge. Et un esprit aussi insensible que le sien. Déjà le marché du dimanche matin m'ennuyait terriblement. Maman aussi m'ennuyait. La vie passait à côté de moi. Indifférente à ma présence, elle continuait son chemin, emportant ceux qui se joignaient à elle et abandonnant les autres qui se tenaient au bord de la route. Je me voyais seule avec mon père, derrière la vie, parmi les papiers couverts de poussière. Je me voyais morte au milieu de la vie.

10

Grand-mère et maman, ces deux femmes qui se détestent depuis tant d'années à cause de moi, vont donc pleurer ensemble devant ma tombe. Je veux que maman perde ses larmes, beaucoup de larmes, comme elle a perdu son sang le jour de ma naissance. C'est le prix qu'une mère doit payer. Quant à grand-mère, elle a payé cher son propre enfant. Les larmes, a-t-elle dit, c'est une source de vie. Elle en a trop versées pour mon père. Il ne lui en reste pas beaucoup dans son réservoir.

Pourtant, à la vue de mon corps, les larmes lui sortent malgré elle et coulent avec un laisser-aller inquiétant. Grand-mère baisse la tête, comme pour exposer sa chevelure de plus en plus rare et d'une blancheur transparente. Autrefois, il y a très longtemps, j'avais l'habitude de la regarder se peigner. Chaque matin, elle faisait tremper son peigne dans un liquide graisseux. Ensuite elle passait et repassait le peigne dans ses cheveux qui descendaient en abondance au milieu de sa taille, jusqu'à ce qu'ils deviennent luisants comme de la soie noire. Enfin, d'un geste lent, elle roulait ce tissu délicat en une énorme boule qu'elle fixait sur son occiput. Elle se peignait toujours debout, devant une table en bois rouge près de la fenêtre. Le soleil venait s'accrocher à son miroir rouillé par le temps. Alors elle murmurait : Je ne me vois pas clairement. Mais elle souriait, heureuse de je ne savais quoi. À ces moments-là, je comprenais pour quelle raison tout le monde disait que grand-mère était une belle femme et pourquoi maman la méprisait.

— Quand on a les cheveux trop longs, disait-elle, on a une intelligence courte.

— Mais, l'interrogeais-je, papa qui a des cheveux plus courts que les vôtres est-il plus intelligent ?

— Ah, lui, c'est une exception, répliquait-elle sèchement.

Un jour, enfin, grand-mère s'est fait couper les cheveux. Pour devenir plus intelligente, semble-t-il. Mais aussi pour d'autres raisons. À mesure que sa chevelure changeait de couleur et ressemblait plus à la lumière du petit jour qu'à celle du midi, elle devait s'asseoir pour se peigner. Et elle avait besoin que je lui apporte ceci ou cela. Plus tard, elle a commencé à me demander de la coiffer. Ses cheveux étaient encore très doux, ils coulaient dans mes mains comme une eau insaisissable. Grand-mère n'était jamais satisfaite de ce que je lui faisais. Doucement, se plaignait-elle, n'oublie pas que les cheveux ont un esprit ! Mais le jour est venu où cet esprit lui a échappé. C'était par une belle matinée de printemps. Le soleil était d'une même douceur languissante que vingt ans auparavant. Grand-mère a enfin constaté que son visage ressemblait à son vieux miroir. Et elle a rompu cette cérémonie quotidienne qu'elle accordait à ses cheveux depuis tant d'années.

Dès lors, elle m'a suggéré de porter les cheveux longs. Le plus grand tort de ton père, commençait-elle ainsi en l'absence de maman, c'est d'avoir épousé une femme aux cheveux imprésentables ; on dit que la qualité de la chevelure reflète celle de la personne... heureusement, tu ressembles plutôt à ton père. Ce disant, grand-mère prenait le ton de ceux qui se croyaient d'une race meilleure et qui sentaient leur supériorité piétinée par des créatures médiocres. Un ton qui pousserait maman à perdre le contrôle et à pleurer de rage.

Quant à moi, à propos de la qualité des cheveux, je ne peux rien dire à grand-mère, même quand son esprit viendra me rejoindre un de ces jours. Car je garderai toujours le souvenir de ses cheveux qui autrefois coulaient entre mes doigts, ainsi qu'un liquide encore tiède mais déjà destiné à la terre.

11

Par une chaleur étrange, l'été continue à compromettre l'automne. Les gens portent encore des chemises à manches courtes. Les éventails s'agitent d'un rythme nerveux. Une odeur d'urine émane de mon corps. On promet enfin de me brûler le plus tôt possible. Mais voilà que maman et grand-mère se livrent à une vraie dispute à propos des vêtements que je devrai porter lorsqu'on me jettera dans le feu. Grand-mère insiste pour me vêtir d'un manteau d'hiver de style traditionnel, de sorte que je n'aie pas froid une fois arrivée là-bas et que les esprits des ancêtres me soient bienveillants. Maman trouve ridicule cette idée dont l'application ne peut que déshonorer la mère de cette fille. Elle tient à ce que, même morte, je sois présentée comme il faut, digne d'une famille comme il faut. Sera donc envoyé dans le feu mon corps presque pourri, sans maquillage, dans une robe modeste. S'enflamme alors la haine longuement accumulée entre ces deux femmes dont les bouffées de fureur me lancent contre les murs, dans les pièges de l'araignée.

— De son vivant, attaque grand-mère, la petite n'a jamais eu de vêtements décents. Maintenant qu'elle s'en va seule, tâche donc de lui accorder un peu de grâce.

— Comment pourrait-elle s'en aller tranquillement, ricane maman, quand elle est d'une famille pour qui chaque chose a une règle ?

L'autre semble ne pas vouloir reculer cette fois.

— En effet, on n'ignore pas les règles qui ont tué ma petite-fille.

— Attention, il s'agit de *ma* fille et de *mon* affaire.

Les traits de maman se durcissent. Je vois, à ma grande déception, que ma mort n'aide pas à la changer. Elle se querelle avec plus d'énergie encore. Sa vie à elle continue sans moi. Elle n'est pas du genre à se laisser écraser par le caprice du sort. Le malheur, au lieu de l'abattre, la stimule et la fortifie. Pendant la nuit, elle ne dort pas. Elle songe. L'hypothèse du suicide lui paraît sans fondement et surtout nuisible à sa réputation et à celle de sa fille. Elle a la faculté extraordinaire de ne garder dans sa tête que des idées qui lui sont flatteuses et d'en expulser le moindre soupçon désagréable. Elle sait ignorer ce qu'elle veut ignorer. Et elle est convaincue que la vérité ne peut exister que dans ce qu'il y a de mieux pour elle. Elle a le caractère des invincibles.

Et dans le calme de la nuit, ses pensées s'orientent dans un autre sens. Elle cherche un lien entre ma mort et l'accident de mon père. Elle se demande si ce n'est pas le même véhicule qui nous a frappés. Elle essaie même d'expliquer les motifs de ces accidents. Au ronflement régulier de mon père, elle réfléchit. Chacun de ses nerfs est éveillé. Elle ne souffre plus. Elle m'oublie. À peine mon corps commence-t-il à puer qu'elle m'oublie déjà.

12

Si je n'avais pas su persister un peu, mon projet ne serait resté qu'un projet. Tant de choses venaient me déranger. Entre autres, Chun vint manger à la maison pour la première fois. Je n'avais pas pu déconseiller à maman de l'inviter ni empêcher Chun d'accepter cette invitation. Maman choisissait son futur gendre et l'autre voulait faire la connaissance de sa future belle-mère. Leur rencontre était hors de ma portée.

Par politesse, maman acheta du porc. Dès l'après-midi, maman et moi fûmes dans la cuisine. Je lavai la viande et elle la coupa en petits morceaux qu'elle trempa dans la sauce de soja. Je pensai beaucoup au plaisir de manger cette viande et je faillis oublier l'invité.

Maman serait contente si je pensais plus à la viande qu'à ce garçon. Selon elle, un amour déraisonnable était dangereux. Il pouvait troubler ma mémoire, me faire oublier mon origine, abandonner maman et me dévouer à un petit inconnu qui n'avait rien fait pour moi. Il impliquait naturellement de l'ingratitude.

En parlant d'amour déraisonnable, maman faisait sans doute allusion à ce Hong-Qi qu'elle et moi haïssions tant. À cause de lui, j'avais été si lourdement abattue qu'il m'aurait fallu plusieurs années, peut-être plus, peut-être toute ma vie si celle-ci était trop longue, pour me remettre sur pieds.

Hong-Qi était pourtant mon premier amour. Nous nous étions rencontrés à l'université. C'était au printemps. L'air humide et parfumé nous enivrait. J'avais dix-huit ans et lui vingt et un. Tout cela suffisait pour un premier amour. Rien qu'à entendre sa voix, mon cœur me sautait à la gorge. Il me disait des choses que je n'osais pas dire moi-même de peur de leur banalité. On a peur d'être banal quand on a cet âge-là. Hong-Qi jugeait les filles par leur vertu, et les garçons par leur famille. Il était fier de son père qui avait su voir clair dans les tourbillons de l'Histoire, c'est-à-dire investir sa vie dans l'armée de Libération, qui était devenu un haut fonctionnaire après la victoire et avant sa retraite. La voix de Hong-Qi était pour moi de la belle musique et son père, un véritable héros. C'était un jeune homme grand, aux épaules étroites, aux jambes arquées et portant d'épaisses lunettes. Je le trouvais beau, bien que mes copines ne lui fissent pas de compliments. Je me sentais vraiment heureuse avec lui.

C'était un événement pour moi, et bientôt, pour maman. Je voulais bien m'adapter à maman dans tous les domaines, mais j'ignorais toujours ses opinions sur l'amour. Nous n'avions jamais parlé de l'amour entre un homme et une femme. Je n'osais pas poser de questions et cherchais en vain quoi que ce soit pour me renseigner. Jusqu'à l'âge de dix-huit ans, je ne connaissais rien de ce qui se passait dans un couple. Je n'étais pas vraiment consciente d'être une femme. Je portais des vêtements grotesques que maman me fabriquait. L'innocence et l'économie, voilà les deux vertus qu'elle vénérait le plus. Quant aux hommes, je n'y connaissais rien avant de rencontrer Hong-Qi. Je croyais que maman s'entendait bien avec papa qui lui parlait rarement mais ne la contredisait jamais sur les affaires familiales, la famille n'étant pas son domaine. Puisqu'ils semblaient vouloir, malgré tout, rester ensemble jusqu'à leur dernier jour, je pensais qu'il devait y avoir un amour solide entre eux, ce qui m'avait poussée à croire que, pour maman, l'amour était une bonne chose. Je lui avais alors confié le mien.

Or, j'avais commis une erreur irréparable. Maman avait poussé des cris de désespoir. Apparemment, elle s'était emportée contre le fait que Hong-Qi était un nouveau-venu dans notre ville, un ridicule étranger malgré le glorieux passé de son père, un provincial dont les pieds sentaient encore la terre. Mais la vraie raison de sa fureur était ailleurs.

Au fond, comme elle l'avoua plus tard, maman était d'abord étonnée par la nature de mon amour et par mon entêtement dans cette affaire. Dans ce monde, disait-elle, il ne manque pas d'hommes qui méritent d'être épousés. Elle m'avait même proposé de sortir avec un autre garçon de meilleure situation. J'avais deviné par là que, son mariage ayant été arrangé par ses parents, elle n'avait pas été en mesure d'aimer un homme comme je l'avais fait alors et qu'elle tenait à croire que c'était naturel. De plus, elle avait l'impression d'être trompée. Sachant bien que je ne l'aimais pas assez, elle m'avait crue d'une sécheresse de cœur innée, héritée de mon père sans doute. Cette illusion l'avait soutenue pendant toutes ces années, puisque l'incapacité d'aimer est moins blessante que la volonté de ne pas aimer.

Elle menaçait alors de me chasser de la maison si je continuais de fréquenter ce type. Cela me causerait de graves ennuis face à l'opinion publique qui respectait l'autorité des parents et défendait les valeurs familiales. Or, je n'avais pas eu à quitter la maison. Blessé par l'attitude de sa présumée belle-mère et refusant de porter l'odieux de l'enlèvement d'une jeune fille à sa mère, Hong-Qi avait mis un point final à notre histoire, sans trop hésiter.

Maman semblait nerveuse cet après-midi-là. Songeait-elle aussi à la mésaventure de mes dix-huit ans ? Ou se préparait-elle à une nouvelle bataille contre l'éternel futur gendre ?

13

Chun avait dépensé un mois de salaire pour offrir du ginseng à mes parents. La publicité liait ginseng et longévité. Je lui avais pourtant conseillé de se contenter d'apporter un peu de viande. C'était beaucoup moins cher. D'ailleurs, le besoin en viande devenait pressant pour notre famille car, son prix augmentant rapidement, mes parents essayaient de la remplacer complètement par des légumes. Le végétarisme est très à la mode en Occident, affirmait mon père.

Je pouvais comprendre ces Occidentaux qui, ayant avalé depuis leur naissance on ne savait combien de tonnes de viande et de produits laitiers, se permettaient maintenant, en plus de la grâce des nobles protecteurs de la nature, des animaux et de beaucoup d'autres choses, le prestige de ne manger que des légumes. Mais j'en voulais à papa de vanter cette expérience à ma grand-mère et à moi, qui faisions partie d'un peuple maigre qui, depuis des siècles, se saluait en demandant « Avez-vous mangé ? »

De toute façon, je savais que mes parents adoraient la viande. Je pensais donc que pour eux la viande était plus importante que le ginseng et vivre heureux plus important que vivre vieux. Mais Chun avait ri de mon ignorance. Pour plaire aux parents, il n'y avait pas meilleur cadeau que le ginseng. La longévité était le souhait le plus loyal qu'on puisse leur faire dans cette ville où les jeunes privés de logement attendaient la mort des parents pour hériter leur espace. Je devais avouer que ma suggestion était trop terre à terre et que Chun connaissait mieux que moi le savoir-faire.

Je remarquai d'ailleurs pendant la soirée qu'il ajoutait un « qu'en pensez-vous » à chacun de ses propos, même si, au fond, il n'attendait pas de réponse.

— Les plats sont merveilleux, dit-il en s'adressant à toute la table, qu'en pensez-vous ?

Et en haussant un peu les épaules, avec une satisfaction hautaine devant cette complaisance, cette humilité qu'un homme devait manifester à une belle-mère pour demander la main de sa fille, maman lui proposa :

— S'ils te plaisent, manges-en un peu plus.

Il avala quelques bouchées bien modérées et murmura :

— Vraiment, je mange beaucoup, qu'en pensez-vous ?

Je l'avais averti de ce que maman n'aimait pas les gens silencieux ni ceux avec trop d'opinions. Chun était venu ce soir subir son premier examen. Il le jugeait important pour lui et donc pour moi.

Ils causaient ensemble, lui et maman. Grand-mère quittait tôt la table. Papa se calait dans son fauteuil. Il avait les lèvres tombantes, les yeux entrouverts, son regard sombre ressemblait à la lumière d'une lampe en panne. J'essuyai la table mais maman me dit de laisser la vaisselle. Elle prépara du thé et m'en servit avec un large sourire. Elle avait l'intention évidente de faire croire au jeune homme que j'étais le trésor de la famille et qu'elle ne me lâcherait pas. L'autre l'écoutait attentif. Il affichait un ton neutre, sinon un peu froid, en parlant de ses propres parents. Il ne les mentionnait d'ailleurs que pour répondre aux questions de maman. Car, d'abord, maman voulait savoir quel type de sang coulait dans les veines de cet inconnu qui osait venir frapper à notre porte. Si ce sang n'était pas meilleur que le nôtre, ce à quoi maman s'attendait bien, il devait au moins être propre, sans virus et de température modérée. Ensuite, il fallait que le candidat montre sa capacité de se détacher de son nid pour se consacrer à sa nouvelle famille. Il était vrai que les enfants devaient demeurer fidèles à leurs parents. Mais le gendre de maman ne serait pas comme tout le monde. Le gendre de maman avait d'autres missions à accomplir, d'autres responsabilités à assumer, d'autres maîtres à suivre. Il devait comprendre que ses beaux-parents deviendraient désormais plus importants que ses propres parents.

Chun semblait connaître parfaitement bien le rôle qu'il jouait. Maman posait ses questions préparées d'avance, il y répondait, le cou étiré en avant, le regard éveillé, comme s'il participait à un concours à la télévision. Oh non, plus qu'un concours. C'était presque un procès, puisque l'enjeu était si grand. L'avenir de son amour dépendait de cette soirée, il le savait bien. Mais ils n'avaient plus besoin de moi. Papa commençait à ronfler. Et je finis par fermer les yeux moi aussi. Quand maman me réveilla, Chun se préparait à partir. Leur façon de se saluer ne me révéla rien sur le résultat de cette rencontre. D'ailleurs, je n'attendais plus aucun résultat de quoi que ce soit. J'étais simplement curieuse, d'autant plus que les manières de maman étaient intrigantes. Elle accompagna son invité jusqu'au seuil de l'appartement. Ce dernier souriait encore avant de disparaître derrière la porte. Au lieu de solliciter : « Reviens nous voir », maman se contenta de dire :

— Merci d'être venu.

Et l'autre répondit :
— Merci de m'avoir accueilli.
La porte claqua très poliment.

Ah ! quelle chance d'être étranger dans cette maison ! Quel bonheur d'être seulement le prétendu gendre de ma mère et non pas son véritable gendre et encore moins son fils ! Au moins, maman s'était montrée affable envers Chun. Elle en était capable envers tous les autres, sauf envers les membres de sa famille pour lesquels, trouvait-elle, la politesse de sa part aurait semblé superflue et hypocrite, sa sévérité ou ses petites cruautés leur étant par contre nécessaires et constituant de solides preuves d'amour. Il s'agissait bien sûr d'un amour souverain, condescendant, providentiel, d'un amour de maîtresse de maison qui donnait la vie et les ordres, d'un amour d'araignée dominant son territoire par les substances de son corps, par un mélange de sang, de salive, de sueur et de larmes.

14

Lui parti, maman et moi nous mîmes à laver la vaisselle ensemble. On entendait les bols se heurter dans l'eau. Ni elle ni moi ne parlions de Chun. Maman tardait à déclarer sa pensée. Elle évitait de donner des coups aveugles. Elle était patiente. Elle avait le temps. Elle réfléchissait d'abord. Elle accumulait son énergie. Elle attendait le bon moment pour annoncer sa décision. Elle attendait le moment où le serpent sortirait lui-même du trou, pour ensuite l'abattre avec précision, avec efficacité et, surtout, avec beaucoup de bonnes raisons. Voilà le savoir-faire de maman que j'admirais. Chez nous, les jugements de maman équivalaient à des décisions. Mais je n'étais pas pressée de les connaître. Cette histoire n'avait pas de sens pour moi. Elle appartenait peut-être encore à Chun et à maman. Mais elle ne me concernait pas. Le mariage n'était plus mon seul espoir d'évasion, comme je le croyais auparavant. Non, il n'y avait pas d'évasion possible sauf... Je fixais l'évier. Je n'y voyais que de l'écume.

Si elle devinait ce qu'il y avait dans ma tête, maman allait sans doute me reprocher: Tu cherches toujours le mauvais côté des choses! C'est que j'avais eu trop de leçons pour pouvoir étreindre la vie à pleins bras. Ce soir, en regardant Chun parler à maman sous la lumière sombre, je croyais revoir Hong-Qi. Quelle sagesse de sa part de s'être épargné toute cette peine en se débarrassant de nous, de ma mère et de moi, car on ne serait pas avec moi sans être avec ma mère et on ne saurait plaire à maman si on me plaisait à moi. Quelle chance pour lui de nous avoir rejetées dans notre boue à nous, au bord de son chemin qu'il mènerait désormais les bras vides, les jambes légères et l'esprit tranquille. Non, je n'étais pas pessimiste. Seulement j'avais appris à me replier sur moi et à emprisonner ma langue – ah, cette maudite langue, derrière mes dents. Je savais ce qu'il fallait dire et ce qu'il ne fallait pas dire.

Maman n'avait pas émis de commentaires sur Chun. Généralement, elle retenait mal son envie de critiquer chaque homme que je rencontrais et dont je lui parlais. Cette fois-ci, le délai était probablement dû au ginseng ou à l'extrême habileté de l'invité ou même à cette fâcheuse réalité : j'avais alors dépassé de beaucoup l'âge conventionnel pour le mariage, les garçons à marier n'étaient plus nombreux et je risquais déjà d'être dévalorisée et ratée. Il fallait me dépêcher, me diraient les gens, me marier vite, vite, au rabais si besoin était. Mais on pourrait aussi attribuer cette prudence exceptionnelle de maman au fait que je n'avais prononcé aucun éloge concernant Chun et qu'au contraire j'en avais étalé les défauts, les défauts mineurs, bien sûr. Maman adorait cela : de la lucidité et un peu de froideur en amour. Deux êtres unis dans un même lit ne se disent pas leurs rêves. Elle m'avait appris ce proverbe dès que j'avais commencé à m'intéresser à des romances. Maman connaissait beaucoup d'autres proverbes pour beaucoup d'autres circonstances. Par exemple, chaque fois qu'elle croyait que je lui cachais quelque chose, elle me faisait entendre ceci : Le feu ne peut être dissimulé par le papier.

En évitant de complimenter les hommes et en essayant de les critiquer devant maman, j'avais l'impression que la force de l'amour diminuait en moi. J'avais connu trop tôt la fragilité de l'amour qui m'avait fait entrevoir celle même de la vie. J'avais alors compris une chose: il fallait s'endurcir pour survivre et... pour s'achever. On ne guérissait pas complètement d'une blessure de jeunesse. On voulait éviter de trébucher une seconde fois au même endroit. L'instinct de se protéger était plus fort que celui de se donner. En présence de Chun, je ne pensais qu'à maman. Les douceurs qu'il me murmurait me touchaient quelquefois, mais je prenais presque tout de suite conscience de ma situation. La sublimation était impossible. Je vieillissais en pleine jeunesse. Maman appréciait ce genre de vieillissement qu'elle appelait maturité.

Ainsi, je n'aimais pas Chun autant que j'avais naguère aimé Hong-Qi. Je le trouvais pourtant plus affectueux, plus beau et plus intelligent que l'autre. Il possédait juste assez de qualités et de défauts pour devenir un mari ordinaire. Et mon imagination s'affaiblissant, je n'arrivais plus à exagérer comme autrefois les côtés forts ni ignorer les côtés faibles d'un être. Il me semblait qu'en feignant une sorte d'indifférence envers Chun pour plaire à maman, je disais une partie de la vérité. Et j'en réservais une autre partie pour lui. J'avais pris l'habitude de ne pas dire l'entière vérité, c'est-à-dire de mentir. On peut très bien produire des mensonges à partir de vérités, ou obtenir des vérités grâce aux mensonges. N'est-ce pas en effet le jeu que jouent par excellence les avocats, les journalistes, les politiciens, les professeurs comme papa, les mensonges étant souvent cachés dans le choix des vérités? En réfléchissant bien à la phrase «Le feu ne peut pas être dissimulé par le papier», qui voulait dire que la vérité ne peut être dissimulée par le mensonge, je me demandais si l'on ne sous-entendait pas l'inverse : le mensonge ne peut être dissimulé par la vérité. La puissance du mensonge et la fragilité de la vérité deviendraient ainsi frappantes. Et en interprétant le proverbe d'une autre façon, justement, j'avais l'impression de dire une vérité.

Maman, elle, n'aurait sans doute pas aimé cette interprétation. Elle m'avait enseigné la sincérité absolue. Sauf en quelques rares exceptions, elle se comportait sincèrement, sinon envers tout le monde, du moins envers moi. Elle ne prenait jamais la précaution de me dissimuler l'abondance de son orgueil, de ses ambitions, l'intensité de ses mécontentements, de ses doutes et de ses jalousies. Elle n'hésitait pas à me dévoiler toutes ses vérités à elle que je devais, à son avis, digérer sans difficulté puisque j'étais sa fille. Pourtant elle n'acceptait pas mes vérités. Elle ne voulait pas croire que j'avais mes vérités à moi. Si par grand malheur de telles vérités existaient, maman consacrerait tous ses efforts à les supprimer. Je comprenais alors que la sincérité n'était pas pour tout le monde. La sincérité totale était le luxe des forts.

15

Grand-mère croit que Seigneur Nilou possède une liste de noms des êtres vivants. Ces noms qu'il nous attribue sont souvent différents de ceux donnés par nos parents. Avant moi, maman avait possédé d'autres choses. Elle avait élevé des oiseaux en cage. Elle les avait nourris le matin, caressés le soir, promenés les dimanches, toujours en cage, et enfermés de temps en temps dans la salle de toilette pour les punir d'avoir trop crié. Lorsque ces oiseaux n'avaient plus suffi à apaiser ses élans maternels, elle les avait vendus au restaurant Bonheur. Ensuite, elle m'a conçue et nommée Yan-Zi. Je déteste ce nom d'oiseau. Je veux connaître mon vrai nom sur la liste du Seigneur. Elle devrait inclure tous, les présidents comme les voleurs, les pandas comme les rats, les enfants comme les oiseaux.

Seigneur Nilou ne s'abandonne pas à la paresse, sinon le monde serait en désordre. Le matin, il se lève et parcourt sa longue liste. Sa capacité de lecture dépasse de beaucoup celle des ordinateurs. Ensuite il prend un crayon, dessine des ronds sur certains noms et des croix sur les autres. Ceux qui reçoivent un rond vont s'installer dans le ventre d'une femme et ceux avec une croix mourront le jour même. Il dessine une quantité égale de croix et de ronds. Pour ce faire, il arrange des mariages et prépare des accidents. Il fixe ainsi des dates importantes. Il a voulu, par exemple, que le président

Mao décède exactement le neuf octobre mil neuf cent soixante-seize et non la veille ni le lendemain. Il a également décidé que j'allais naître juste au moment où le corps de maman perdait une abondance de liquide et non avant. Il sème des haines dans les amours, des troubles dans la paix, le déclin dans la prospérité. Il annonce l'éternel par l'éphémère. Il console la naissance par la mort. Il échange une vie contre une autre. De cette façon il maintient l'équilibre de son royaume.

Grâce à grand-mère, j'étais au courant de tout cela. Elle avait en quelque sorte ouvert mon troisième œil. Et, bien avant ma mort, je savais qu'il faisait attention à moi. Je sentais son crayon suspendu au-dessus de mon crâne. Il me poursuivait partout. Sa présence invisible m'était sans cesse révélée par une vague tristesse et une haine incontrôlable.

16

J'avais longuement réfléchi aux méthodes. J'avais d'abord songé à sauter par la fenêtre de chez nous. De cette façon, je pourrais enfin laisser entendre à maman que je n'étais pas heureuse à la maison. Je ne savais pas comment lui montrer cela autrement. Je n'avais jamais osé le dire, tellement elle croyait que c'était une chance inouïe d'être son enfant. Mais comme nous étions seulement au deuxième étage, j'avais peur de rater mon coup. Je ne supportais pas la perspective de passer le reste de ma vie dans un fauteuil roulant. Pour me punir, on n'aurait pas à m'envoyer chez un psychologue ; maman seule, avec ses pleurs, ses cris, ses menaces, son ironie et sa pitié, suffirait à me faire regretter mon geste. Elle se féliciterait même puisque, devenue infirme, je serais alors très dépendante d'elle. J'aurais de la difficulté à sortir le jour comme le soir, je ne serais pas obligée de me marier et, naturellement, mon statut de vieille fille ne constituerait plus une honte pour la famille. Je resterais donc à la maison comme les bonnes filles du bon vieux temps, pour accompagner maman jusqu'à ses derniers jours. Je serais sa fille éternelle.

Partout dans la ville avaient poussé des bâtiments de hauteur mortelle. Mais ils ne m'attiraient pas. Je préférais mourir auprès de maman. Je crèverais sous ses yeux et à ses pieds. Elle avait planifié ma venue, maintenant elle devait assister à mon départ. Ce serait à elle d'accomplir la besogne entamée. Ramasser mon corps et nettoyer les traces de mon sang – mon sang était aussi son sang. Je désirais voir son regard affolé. J'avais envie de la sentir trembler. La dernière image que j'aurais de ce monde serait celle d'une mère qui s'écroule.

Finalement, je délaissai les hauteurs et choisis le somnifère, un poison doux, classique, bon pour les tragédies. Pendant la fête de la Lune, j'allai chercher des pilules. Je visitai plusieurs pharmacies pour éviter les soupçons. On était emprisonné dans la vie comme dans son corps. Il fallait connaître des tours pour s'en tirer. Il ne suffisait pas de se décider à mourir, il fallait obtenir l'approbation des autres, du moins celle des pharmaciens. Mais allez leur en parler face à face ! Retenant à peine leur rire, ils s'inclineraient vers moi comme vers une enfant. Je vous comprends, mademoiselle, commenceraient-ils. Les hommes sont des cochons, ricaneraient-ils ensuite, il ne vaut pas la peine de mourir pour eux... Pardon ? Pas d'hommes ? Ça alors, justement, il faut en trouver un ! Mais en attendant, pensez plutôt à vos parents. Vos parents ont-ils des cheveux blancs ?... Pensez donc à leurs cheveux. Pour en finir, avec un peu de chance, je gagnerais même un petit tube de perles en poudre. Tenez, diraient-ils en affichant un air grave, c'est de ça que vous avez besoin, pour soigner un peu plus votre joli petit visage.

Il fallait mentir.

Je possédais maintenant une quantité suffisante de pilules. Si je les laissais encore reposer dans mon sac à main, ce n'était pas par peur de franchir le pas. Je comprenais que ce que j'allais faire, si je le faisais bien, ne me toucherait nullement. Mais la Lune était trop ronde ces jours-ci. Nous devions fêter l'union familiale en cette saison où le vent allait nous arracher toute la chaleur.

C'était merveilleux, la fête de la Lune. On avait droit à une demi-journée de congé. Dès l'après-midi, mes deux collègues de bureau eurent du mal à tenir sur place. Lao-Ma attendait ses amis pour jouer aux cartes, pour se livrer à cette perpétuelle passion de sa vie, tandis que Hua s'impatientait près du téléphone : elle voulait sans doute appeler son amoureux. La ligne était extrêmement occupée : tout le monde essayait de rejoindre quelqu'un d'autre.

Je m'apprêtais à quitter le bureau quand Chun m'appela. Il était libre lui aussi ce jour-là et me proposa d'aller voir ses parents. On avait une mère et un père. On avait déjà beaucoup de parents. Les siens ne m'intéressaient pas. Il y eut un long silence au bout du fil. Je devinais son front pâle et son regard mécontent. Sa visite à mes parents n'était pas gratuite. Il attendait une récompense. Il avait dit des « qu'en pensez-vous ? » à ma mère, et il espérait que je rendrais autant de politesses à ses parents. Sa famille avait besoin d'une belle-fille, n'importe laquelle, mais une belle-fille correcte, qui ne disait pas toutes ses pensées ou mieux encore qui n'avait pas de pensées. Chun disait toujours : Viens chez nous. « Chez nous » voulait dire chez ses parents. Si je me mariais avec lui, je devrais aller vivre avec ses parents. Mais je n'avais pas ce projet.

— J'ai d'autres projets, lui dis-je, prête à raccrocher.

Il n'aimait pas cette phrase. Je ne devais pas avoir de projets sans lui.

— Quelque chose dans ta tête m'inquiète, reprit-il.

Peut-être était-ce pour cette raison qu'il ne m'avait pas encore quittée malgré mon humeur inégale. D'une voix tendre et presque suppliante, il me proposa d'aller au restaurant. Pas question non plus de m'absenter de la maison à l'heure du repas. Maman attachait une grande importance à la cérémonie de la table, à ce que les membres de la famille, chacun assis à sa place, mangent ensemble tout en écoutant les quelques remarques semblables à des reproches qu'elle faisait sur eux. Mais j'acceptai de sortir le soir, après le repas bien sûr, ce qui m'épargnerait de passer la fête à la maison.

Je pris une rue bruyante où les pharmacies étaient nombreuses. Le flot des passants me poussait. Il y avait une légère brise. Les feuilles tombaient sans arrêt et craquaient sous la pression des semelles. La rue semblait agitée. Depuis un mois déjà, les gâteaux de lune s'entassaient dans les boutiques. Les gens les achetaient, les offraient aux amis et les mangeaient en abondance, car on espérait beaucoup d'harmonie et d'union. Moi, avant de m'en aller de ce monde, je voulais des prunes séchées. Je n'en trouvai pas et j'en demandai à une vendeuse. Elle me jeta un regard dur puis, avec dédain, se détourna vite vers les autres clients. Ses cheveux continuaient à frémir un peu lorsque le mouvement de sa tête s'arrêta. Une vieille dame à côté de moi me conseilla de ne pas la déranger :

— Il faut la comprendre, fille. Les beaux gâteaux de lune valent mieux que les prunes séchées qui font songer aux figures vieillies.

En effet, la dame avait tant de rides que sa tête paraissait presque artificielle. Je pensais à grand-mère. Elle adorait les gâteaux de lune. J'en achetai quelques-uns. Quand elle me tendit la boîte, les traits de la vendeuse s'étaient visiblement adoucis.

Je passai le reste de l'après-midi seule avec grand-mère. Papa était allé à l'université pour une de ces réunions où l'on invitait tous les employés, y compris les retraités, et où on bavardait en grignotant des graines de melon d'eau. Maman ne rentrerait qu'après la disparition du Soleil derrière les toits rouges. Je mis mon sac sur la table et je regardai grand-mère mordre dans un gâteau, les yeux palpitants de plaisir.

Je me demandais à quoi bon faire des gâteaux ronds. Comment pouvaient-ils représenter l'union harmonieuse, puisqu'ils étaient destinés à être coupés par les dents, broyés par l'estomac, absorbés par la chair et transformés en boue ?

Grand-mère eut l'idée de faire goûter les gâteaux à papa et à maman. Je lui suggérai de ne penser qu'à elle-même. Chez Seigneur Nilou, il n'y aurait pas de gâteaux de lune à manger. Il n'y aurait pas d'union à déchirer. Pas d'harmonie à déguster.

17

Chun vint m'attendre dans la ruelle. Les étoiles se cachaient, intimidées sans doute par la lumière insolente de la Lune. Le ciel me paraissait plus solitaire que jamais.

Tout serait peut-être différent entre nous si maman n'avait pas invité Chun et s'il n'avait pas dit des « qu'en pensez-vous ? ». Nous serions devenus, avec le temps, de très bons amis. J'aurais cru en sa capacité de guérir mon chagrin inguérissable et de me détacher des bras de maman, solides comme des menottes. Nous aurions même pu nous enfuir et aller vivre ailleurs. Mais il préférait demander ma main à maman, car cette main si indocile et appétissante était d'abord à maman, avant de lui appartenir à lui. C'est pour ton bien, disait-il d'un ton étrangement semblable à celui de maman.

Nous marchions dans la rue déserte. Ses lèvres tremblaient. J'entendais vaguement qu'il parlait de l'avenir et récitait son poème préféré, ce poème remanié et usé depuis des siècles par les gens nostalgiques de l'éternel et malades d'amour :

> ...
> *Il suffit de rester dans cette vie*
> *Pour que la Lune à mille lieues nous unisse.*

Il fallait donc vivre longtemps et de préférence à jamais pour surmonter l'espace et le temps. Pour s'unir à quelqu'un, s'enchaîner à quelque endroit et se fondre dans quelque chose. Pour ramasser les débris du miroir cassé. Pour avoir un avenir. Or, la Terre tournait à toute vitesse. Elle brouillait tout sur son passage, arrachait l'enfant au corps de sa mère, découpait la chaîne de sang et recouvrait les traces de l'Histoire. Si, vingt-cinq ans auparavant, maman était tombée enceinte une seconde plus tard, ou plus tôt, je ne serais pas née ou je ne serais pas moi, quelqu'un d'autre vivrait à ma place et tout serait différent. Mais la mort était inscrite d'avance. Mais Seigneur Nilou nous attendait. Mais les pilules criaient dans mon sac...

Je regarde Chun en face. La Lune, qui à chaque instant semblait devenir de moins en moins parfaite, luisait sur son front.

— Si tu veux, lui dis-je soudain, prends-moi sans tarder. C'est maintenant ou jamais.

Il s'écarta de moi brusquement. Puis, retrouvant sa contenance, il décida de caresser furtivement mes cheveux et me gronda comme une enfant :

— Sois sage, ma mauvaise.

Un instant après, il ajouta :

— Je sais maintenant pour quelle raison ta mère ne te supporte pas.

Pourtant, il ne put dissimuler son souffle haletant. Il se mit à énumérer les préparatifs du mariage afin de se distraire. Je le haïssais à cet instant pour le ton condescendant qu'il prenait en me parlant, pour la façon dont il se mêlait à l'histoire entre ma mère et moi et enfin même pour son désir mal caché. J'enlevai sa main appuyée sur ma tête et la rejetai. Je marchais vite. Je savais qu'il restait sur place, immobile et trempé dans la lumière blanche. Il regrettait. Il passait sa vie à regretter. Il en était conscient d'ailleurs. Les choses se déroulaient toujours plus vite que sa pensée. L'amour s'en allait plus vite que les préparatifs du mariage. Il n'y pouvait rien.

18

Alors que mon corps attend devant le four crématoire, mes proches ont droit à un banquet de tofu. Grand-mère a clairement indiqué qu'on ne célèbre pas une fin prématurée. On ne donne un banquet de tofu qu'en l'honneur des gens qui meurent vieux. Mais maman ne l'écoute pas. Il faut offrir un copieux repas pour remercier les invités d'avoir pleuré sur la dépouille de sa fille. Du même coup, elle compte prouver qu'elle aime bien sa fille et que les rumeurs de suicide ne sont que des rumeurs. La plupart des gens acceptent volontiers l'invitation. Ma mort les dérange. Ce soi-disant accident a brisé leurs illusions sur la jeunesse et sur l'éternel. Alors ma mère est censée les dédommager, réparer leur humeur, leur rendre la gaieté perdue, remplir leur estomac afin d'apaiser leurs esprits et les remettre en harmonie avec le temps.

Je les suis dans le restaurant près du funérarium. Sur les tables, il y a toutes sortes de viandes. Selon grand-mère, pourtant, le banquet de tofu, un repas végétarien donc, devrait être signe de respect pour Seigneur Nilou et les êtres qui l'ont rejoint dans son royaume, y compris les cochons et les poissons. Mais comme la société a évolué, la tradition a dû changer elle aussi. Aujourd'hui, pour contenter Seigneur Nilou, il faut non seulement du tofu, mais surtout beaucoup de viande, beaucoup de vies sacrifiées.

Je sens même une odeur de bœuf juste au moment où on pousse mon corps dans le feu.

— C'est un véritable bœuf, vous savez, dit maman en s'adressant à tout le monde.

Je comprends qu'elle désigne par là non pas la viande qu'on est en train de déchirer à la table, ni mon signe astrologique, mais bien moi avec mon caractère de bœuf. J'ai soudain la stupide impression d'être mangée par les invités de maman. Maintenant, je crois connaître mieux la véritable raison pour laquelle on vient célébrer ma mort. On adore la chair. Ce que dit ma cousine à son frère prouve bien leur faim :

— Mange de ton mieux, bien que ce ne soit pas le meilleur banquet de tofu. Quand le père de mon fiancé est mort, j'ai mangé une soupe de tortue ! Tu sais, la tortue vit si longtemps que sa chair n'est plus délicieuse, mais elle est bonne pour la santé.

Elle semble envier la longévité des tortues. En prenant une soupe de tortue, elle espère que la chair de cet animal poussera en elle. Elle rêve de devenir tortue elle aussi. Mais cette fois-ci elle doit se contenter d'un oiseau grillé. Elle en arrache une aile, la trempe d'abord dans l'huile de sésame puis se l'envoie sur la langue tirée. La chair blanche de l'oiseau glisse le long de sa gorge chaude. Elle crache ensuite les petits bouts d'os sur la table. Enfin, elle ferme les yeux en fronçant les sourcils. Elle revoit peut-être mon visage décharné. J'entends les bruits gênants que fait le ventre de ma cousine. À ce moment, une fumée noire sort de la cheminée du crématoire et court vers le restaurant. Elle pénètre par la fenêtre et va envelopper la table. Les invités lèvent une tête inquiète. Ma cousine prend elle aussi conscience de cette fumée douteuse. Elle s'efforce néanmoins d'empêcher la viande de remonter dans sa gorge.

Je sais que mon corps est réduit en cendres. Je me sens affaiblie. L'air de l'extérieur m'aspire. Mais ces visages à la fois tristes et gourmands m'amusent. Ciel ! Que je puisse rester encore un peu ! Je crie au secours. Personne ne m'entend. Maman se lève pourtant. Elle ne mange pas. Elle a froid. Elle va fermer la fenêtre. Oh ! maman, maman ! Savez-vous qu'il est trop tard, hélas, et que je ne vous serai jamais reconnaissante ? Je vole autour de la table. J'aimerais dire à ma cousine que ce n'est pas gentil de désirer manger de la tortue à l'occasion de mes funérailles. Pour pouvoir vivre aussi longtemps qu'une tortue, il ne suffit pas, elle doit bien le comprendre, de manger cet animal, il faut encore l'imiter, vivre à son rythme, être facilement satisfait, avoir une courte vue et un appétit modéré. Mais ma cousine a beaucoup d'appétit. Son corps absorbe tout sur son passage. La mort la poursuit. Elle vit en hâte.

Celui qui vit le plus en ce moment, c'est peut-être mon père. Maman ne fait pas attention à lui. Il va s'asseoir à côté de ma cousine. J'ai l'impression d'être écrasée par l'épaisseur du temps qui s'arrête dans ce restaurant. Papa se penche vers cette fille et lentement lui prend les mains. Il a l'air ivre devant un si bon repas, en si bonne compagnie. La vie le préoccupe en ce moment, l'entraîne d'abord au-delà de ses soucis métaphysiques, puis du souvenir de sa fille, puis de la surveillance de sa femme et enfin, au-delà de la mort. Soudain, il rougit d'une rougeur épouvantable. De la salive coule de sa bouche entrouverte. Lorsque son visage s'approche trop de celui de ma cousine, je me mets à trembler. Et les assiettes tremblent elles aussi. Ma cousine pousse un éclat de rire.

Papa arrête son geste mais tarde à se retirer. Je l'examine tristement. Je préfère ne pas le reconnaître. Mais je réalise que ce visage est bien celui de mon père. Je déteste donc mon père ! Pourrais-je détester mon père sans me détester moi-même ? Je veux m'écarter de lui, de peur que la lueur de son front ne se projette sur moi, que ses gènes ne se recollent en moi et ne me suivent jusque chez Seigneur Nilou. Mais une inexplicable impuissance m'empêche de reculer. Privée du masque de ses discours intellectuels, assaillie par un désir indiscret, la figure de papa est là devant moi, dans toute l'étendue de sa réalité animale. Je dois découvrir, à cet instant mieux que jamais, la nature de l'amour, la circonstance des naissances et la condition des vies. Je me sens renversée par l'haleine de ma cousine. Je me vois tomber d'une falaise envahie par les vivants. Je préfère maintenant me réfugier dans un coin. Mais je ne le peux pas. Je ne suis pas comme eux. Je n'ai pas les deux pieds bien plantés sur la terre. Je ne me tiens plus. Je survole malgré moi ces têtes détestées. Je tourne autour de maman. Je ne suis toujours pas libérée.

En quittant le restaurant, les lèvres luisantes du gras de la viande, les invités doivent accompagner maman et papa à la maison, y boivent le thé qui aide à digérer et à trouver les paroles consolantes. Ils prennent la précaution de pousser des soupirs et des rots en se disant d'une voix claire : « Dommage, très dommage. » Dommage que les viandes soient trop ou pas assez cuites, que la vie ne soit pas durable. Devant la porte, maman fait un feu qui gardera Seigneur Nilou hors de la maison. Un feu que chacun doit enjamber pour surmonter sa propre mort. Les ombres se mettent à sauter, me semble-t-il, au-dessus de moi. Je suis maintenant complètement exclue et rejetée. De plus, maman prépare un thé sucré pour tout le monde. Papa en boit lentement, sous le regard anxieux de maman qui n'encourage pas les questions.

Ce n'est donc pas un jeu. Maman est sérieuse. Elle ne joue jamais. Tout ce qu'elle fait dans la vie a un sens. En ce moment, elle est en train de mener une véritable lutte contre Seigneur Nilou et aussi contre moi. Grand-mère lui a appris que les esprits des morts voudraient bien entraîner leurs proches avec eux, dans leur chute solitaire. Ceux-là doivent alors se débattre de leur mieux, en buvant de l'eau sucrée afin de chasser le souvenir du cimetière et retrouver le goût de la vie, comme dit la chanson : *Oh !, que notre vie est suave...* Voyant que papa, son dernier être proche, a bien exécuté son ordre, maman hoche la tête de satisfaction. Puis elle aussi en boit un bol. De l'eau sucrée coule à l'intérieur de son corps et lui brûle l'estomac. Je me dis que les pilules auraient eu le même effet si j'avais eu le temps d'en avaler.

Maman vient fermer la porte. Je décide de rester dehors. J'ai pensé hanter sa maison et lui faire peur. Mais je n'en ai plus envie. Au fond, je n'ai plus envie de rien, depuis que le feu s'est éteint après avoir brûlé mon corps et expulsé mon esprit. Ce jour-là, la ruelle est plus poussiéreuse que d'habitude.

19

On jouait *Les Mains sales* au centre-ville. Je ne pouvais pas me refuser le plaisir d'aller voir cette pièce puisque, vraisemblablement, elle n'allait pas ébranler ma décision. Les billets étaient distribués par la responsable du syndicat. Les spectacles choisis étaient souvent aussi décourageants que les plans de travail au bureau. Mais ceux qui refusaient cette sortie collective devaient rester à leur bureau et se noyer dans la solitude des routines, avec en tête le sentiment d'être volés, de se faire retirer chaque mois une partie de leur salaire pour rien. Alors on se rendait ponctuellement aux salles de spectacle. Cette fois-ci, la responsable du syndicat avait choisi, non sans quelque hésitation, de nous faire connaître une œuvre de Sartre. Cet étranger-là, dit-elle, a enfin eu le bon sens de faire une histoire plus ou moins compréhensible.

Bi arriva dans l'avant-midi. Hua l'appelait « celui-là le mien ». Elle avait réussi à lui trouver un billet. Il y avait toujours des billets remis par ceux qui prenaient un congé de maladie. J'avais l'impression que le nombre de malades s'élevait dans ce genre d'occasions. Par paresse, je n'avais pas invité Chun. Hua présenta son ami à Lao-Ma et à moi et proposa qu'on aille au théâtre tous ensemble. Bi était d'une beauté grossière, avec des traits réguliers, une taille moyenne et forte. Sur le revers de ses mains, les veines bleues se gonflaient. La peau de son visage semblait trop usée pour son âge. Il avait des rides partout, sur le cou, au coin des yeux et de la bouche... J'avais envie d'en caresser un à un les plis avec mon doigt. J'aimais les hommes marqués par le temps. La mort annoncée créait en eux une puissance fragile. Leur vie raccourcie m'inspirait une tendresse prolongée. Il parlait peu. Son calme m'étonnait. Cette beauté apparente, sans doute convoitée par beaucoup de filles, n'avait-elle donc pas encore compromis son intelligence ? J'avais, comme maman, la faiblesse de juger rapidement les choses. Je supposais que, pour devenir aussi sage aujourd'hui, il avait dû être très laid et très solitaire dans son enfance et que, s'il arrivait à préserver encore longtemps sa beauté, il deviendrait moins intelligent dans sa vieillesse. Pour le moment, il était à son meilleur. Hua me souffla dans l'oreille qu'ils s'apprêtaient à acheter des meubles.

— Avez-vous trouvé une chambre ? demandai-je à Bi.

Il me regarda, l'air de ne pas me comprendre. Et Hua dut intervenir :

— Une chambre pour le mariage, bien sûr.

— Ah, non, non, pas encore.

Le futur mari secoua la tête. Il semblait embarrassé. Je me demandais si c'était à cause de ma question, de sa réponse ou de l'explication de Hua.

Nous nous engouffrâmes tous les quatre dans l'autobus, Lao-Ma et moi d'abord, Hua et Bi par la suite. On avait de la difficulté à se tenir dignement sur ses pieds. On était poussé et bousculé. On s'écrasait. On avait trouvé pour Lao-Ma une place côté fenêtre. Bi se tenait derrière Hua et moi. Lorsque l'autobus s'arrêtait et redémarrait brusquement, il se chargeait de nous soutenir par les bras. J'avais l'impression ridicule qu'il arrêtait sa main quelques secondes de trop sur mon dos.

Et je rougis. Lao-Ma paraissait intimidé d'être assis seul, d'avoir eu ce privilège qu'on accordait aux vieilles gens.

— Yan-Zi, me dit-il en se levant, prends cette place. Ton visage est enflammé. On étouffe ici.

Il m'aida à m'asseoir sur la banquette. Il me laissa ainsi sa place de vieux sans se rendre compte que de ce fait, peut-être, notre âge s'inversait et que le tourbillon du temps prenait un sens inattendu. Je suais toujours. Hua me tendit un éventail en papier. Je surpris le regard de Bi et je détournai la tête. Je regardai dehors. Je ne vis rien d'autre que lui. Je le voyais sans le regarder. Des flots de chaleur me montaient du fond du corps. Ça ne fait rien, me disais-je, ça va passer, ce sera la dernière fois, je le jure, la dernière...

Le théâtre se trouvait rue de la Libération. Le ciel était sombre, les passants rares. On brûlait les feuilles mortes sur le trottoir. En descendant de l'autobus, nous reçûmes au visage une poignée de cendres soulevées par le vent.

Pendant le spectacle, j'avais mal aux yeux. Je ne comprenais pas ce qui se passait sur la scène, alors que, d'ordinaire, je devinais l'histoire entière dès les premières cinq minutes. Je remarquai que les personnages avaient l'air tourmenté. Et je pleurai. C'était efficace pour me laver les yeux.

Sortant de la salle, Bi proposa de nous offrir un thé. Il choisit le restaurant Bonheur. La patronne semblait le connaître. Comment ne l'avais-je pas rencontré plus tôt ? Je pensai que nous nous étions rendus plusieurs fois en même temps dans ce même lieu sans nous connaître. Nous avions peut-être regardé les mêmes scènes de la rue à travers la même fenêtre. Mais nous étions restés longtemps étrangers l'un à l'autre. Grand-mère appelait cela le destin. Elle fronçait toujours les sourcils en parlant du destin, car selon elle le bon destin n'existait pas. Hua venait ici pour la première fois et elle promenait son regard dans tous les coins du restaurant. Il avait donc un refuge que sa fiancée ne connaissait pas. Lao-Ma nous parlait de tout et de rien. Je me taisais. Bi me demanda si je me sentais bien. Je lui fis remarquer que les jours devenaient courts maintenant. Il se mit alors à contempler le ciel. Lao-Ma dit que c'était à cause de la fête de la Lune. Après cette fête, toujours les nuits se mettaient à manger les jours. Et Hua protesta :

— Ne faites pas tous comme Yan-Zi ! Elle passe son temps à se lamenter sur les jours qui sont morts ou sur ceux qui vont mourir.

Soudain, on entendit des coups de klaxon. Des bicyclettes et des voitures s'arrêtèrent au milieu de la rue. Des curieux accoururent précipitamment, le sourire caché dans le pli des lèvres. Ils s'attendaient à voir une scène sanglante, un accident ou un scandale. Ils pourraient enfin servir une histoire appétissante à leur table. Ils la grignoteraient jusqu'à une heure tardive, heureux et bien reposés. Au bout de quelques minutes, le serveur du restaurant rentra et nous informa de l'incident :

— Un homme à bicyclette a été écrasé par une voiture. Ça aurait pu arriver à un autre moment, eh bien, voilà, la circulation est complètement coupée.

Il dit tout cela d'un air de reproche, reproche à l'automobiliste imprudent, bien sûr, mais peut-être aussi à la victime qui, n'étant pas morte au bon moment, dérangeait la circulation. Puis il continua à servir ses clients avec un sourire habituel. Toute la salle poussa un soupir avant de repiquer le nez dans son assiette ou dans sa tasse de thé.

Comme la rue était en désordre et que Hua et moi étions un peu bouleversées, Bi se chargea de nous raccompagner à la maison. Il eut préféré reconduire sa fiancée la première. Une heure plus tard, nous nous retrouvions seuls sur la rue de la Libération vite lavée et de nouveau élégante.

20

Les jours suivants, je sentis dans mon dos le regard de Bi et la chaleur de sa main. Je continuai à sortir et à rentrer à la maison, le sac accroché à mon épaule gauche, avec dedans trois flacons de somnifères. Lors des repas, soudainement, je me mis à parler politique comme papa le faisait autrefois. Maman était sans doute très étonnée. Je ne la regardais pas. Ces jours-là, elle n'existait pas. Bi était devenu mon obsession. Je le voyais tout le temps et partout. Il se cachait dans les yeux de Hua, sur le front de Chun, dans les profondeurs des ruelles dangereuses. Je voulais l'avoir à tout prix, le saisir de toute ma force, avec mes ongles fragiles. Mon regard devait traverser son corps si beau, si vivant, si mortel. Seule la lumière survivrait avec le temps. Et mon regard serait une lumière. J'avais un désir impatient, une soif de mourante.

Samedi après-midi, je trouvai un prétexte pour quitter le bureau un peu plus tôt. Je l'attendis chez Bonheur, sans trop d'espoir. Il était presque un inconnu. Quelqu'un s'approchait de moi, puis s'éloignait, puis revenait encore. C'était sans doute le garçon du restaurant. Je le voyais à peine. Toute ma vie – maman aimait bien cette expression si chargée de temps que je pouvais enfin dire moi aussi – j'avais attendu quelqu'un ou quelque chose que je ne voyais pas clairement. J'avais l'impression d'avoir passé ma vie à boire du thé dans ce restaurant, à attendre. Des vagues de voix montaient vers moi. Les couleurs se multipliaient sur les vitres du bâtiment d'en face. Je ne voyais que de la lumière. Combien je méprisais cette vaine attente, ce désir des choses autres que la lumière. J'entendais des pas, les pas de Seigneur Nilou sans doute. Il fallait que je me dépêche. Alors je sortis du papier et je commençai ma lettre :

« Chère maman, je vais mourir pour vous. Je vous ai pourtant attendue en espérant pouvoir changer d'idée. J'ai attendu si longtemps. Une légère caresse faite par votre main forte pourrait me sauver. Ou un petit sourire, car vous souriez très peu, maman... »

Ces quelques lignes me laissaient insatisfaite. J'avais encore du mal à imaginer que la figure de maman était belle comme une fleur et que ma mort prochaine ne serait qu'un sommeil facile qui me guérirait de mon insomnie chronique. Je voulais en vain disparaître dans cette lettre. Je jouais mal. Un bon comédien devait se retirer derrière son personnage, qui lui seul suffisait. À ce moment, Bi apparut sur le pas du restaurant. Et je déchirai le papier.

Il s'avança droit vers moi, comme s'il s'agissait d'un rendez-vous. On se regardait. Le garçon nous apporta du thé et enleva ma tasse froide. Le silence m'étranglait. J'essayai de dire quelque chose mais m'arrêtai aussitôt en remarquant le ridicule de mes paroles. Et il sourit.

Lorsque le soleil quitta le restaurant, il balbutia qu'il était encore libre. Il avait accentué sur le mot « encore ». Cela signifiait qu'il s'en fallait de peu pour qu'il ne soit plus libre et qu'il ne l'était que par hasard. Je me disais que je n'étais pas plus libre que lui. Il y avait Chun, il y avait maman, il y avait Seigneur Nilou.

Je regardais dehors. La rue était encombrée de véhicules. Il voulait savoir à quoi je pensais. Je voyais un corps écrasé et lui dis :

— Les voitures, tu sais...

J'avais promis à maman de préparer le repas. Je fis le geste de me lever. Il me retint par le bras. Je chancelai. Il me proposa de manger avec lui.

— D'ailleurs, ajouta-t-il, je n'aime pas sortir dans la rue à cette heure-ci.

Et, de nouveau, je pensai à l'accident.

J'allai au comptoir téléphoner à maman. Je savais ce qui m'attendait. Je voyais déjà maman tourner en rond, frapper la table où je serais absente. Dans de tels cas, il fallait donner des raisons très solides : un travail urgent au bureau ou une maladie grave. Maman comptait les minutes que durait mon trajet. Nos rendez-vous pour les repas et leurs préparations ressemblaient à ceux d'un camp militaire. Un jour, j'étais invitée à une soirée. Comme elle connaissait par cœur les noms et les adresses de tous mes amis, elle était allée vérifier chez l'un d'entre eux si la rencontre avait vraiment lieu. Humiliée par cette méfiance, je lui avais laissé entendre que je n'étais plus mineure et que j'avais bien le droit de choisir où prendre mes repas. Stupéfiée par ma réplique, maman avait demandé à oncle Pan de venir juger de l'affaire. Mon oncle était de l'avis qu'il ne fallait pas décevoir maman qui m'avait tout donné, qui m'aimait à sa façon et qui ne voulait rien d'autre de moi que de manger avec elle. Sur ces mots, maman s'était mise à pleurer. Et je m'étais sentie coupable. Depuis, j'avais toujours mangé à la maison. Comme on finissait tard les repas, j'avais manqué tous les films présentés à huit heures du soir.

Au téléphone, maman demandait des explications. J'avais préparé un mensonge. Je devais lui dire que j'avais par hasard l'intention d'aller voir une amie. Elle n'aimait pas le calcul des autres. S'il devait lui arriver quelque malheur, mes sorties le soir, par exemple, maman préférait que ce soit par hasard, sinon par accident. Mais Bi s'approcha et me prit une main. J'avais l'impression que cette main ne m'appartenait plus. Et ma tête non plus ne m'écoutait pas. J'avais oublié la règle du jeu. Sans me soucier de cacher mon impatience, j'eus le malheur de prendre un ton sec :

— Je vous ferai volontiers un rapport plus tard.

Maman devint inquiète, elle voulait savoir où et avec qui j'étais à ce moment-là. J'avais peur qu'elle ne vînt me chercher et je criai :

— Mais maman, vous ne pouvez pas me surveiller à ce point : je suis libre, n'est-ce pas, libre !

Et elle raccrocha. Je sentais au bout du fil la palpitation de ses veines. À la pensée de la scène qui m'attendait à la maison, je dus m'appuyer une seconde contre le comptoir. Je ne comprenais pas le sourire de Bi. Je lui répétai ce que maman avait dit, et il eut un geste de soulagement :

— Voyons, ta mère n'a presque rien dit. Elle n'est peut-être pas contente, mais que pourrait-elle te faire ? Tu ne peux quand même pas contenter tout le monde.

Je savais qu'elle pourrait me faire connaître beaucoup d'autres choses que son mécontentent et que, si je n'arrivais pas à la contenter, je ne contenterais jamais personne. Quand j'avais dix-huit ans, un garçon qui s'appelait Hong-Qi m'avait quittée parce que je ne savais pas contenter maman.

Bi comprit bientôt qu'il avait sous-estimé maman. Il avait commandé un poulet pour moi, mais je ne faisais que tourner mes baguettes dans l'assiette. Je fixais l'homme en face de moi. Ma tête s'était refroidie. Je ne rougissais plus. Il me paraissait toujours séduisant. Et ceci me rendait d'autant plus triste. Il me demanda pourquoi je ne mangeais pas. Je lui avouai que c'était à cause de lui :

— Tu es superbe.

Il avait l'air détendu et il oubliait ma mère.

En descendant dans la rue, il reprit ma main dans la sienne. Je le laissai faire. Il s'arrêta quelques fois devant les vitrines des magasins de meubles. Il n'avait jamais eu sa propre chambre. Je croyais que, s'il avait pu trouver une chambre plus tôt, il aurait déjà acheté des meubles avec Hua et il aurait maintenant pris la main d'une autre au lieu de la mienne.

— Quelle est la première chose que tu ferais si tu avais une chambre ? demandai-je soudain.

Il s'arrêta et se tourna vers moi. Son regard me perçait. Puis il se remit à marcher, silencieux. Sa main était devenue humide. La mienne aussi. Bientôt, cette humidité rendit notre contact inconfortable. Je voulais retirer ma main mais il la tenait de force.

Nous nous dirigeâmes lentement vers un parc. Il y avait une longue file à l'entrée. Il fallut attendre un peu pour obtenir des billets. Les gens qui n'avaient pas leur chambre à eux amenaient leur amoureux au parc. Devant nous, un jeune couple s'impatientait. L'homme promenait ses mains sur le corps de la femme. Celle-ci s'étirait le cou pour voir si la ligne devant elle s'était raisonnablement raccourcie. Et les corps devant nous s'enlaçaient. Arrivé au guichet, Bi me quitta pour payer les billets. Nous nous plongeâmes dans une obscurité qui sollicitait trop l'intimité que nous n'avions pas encore entre nous. Le moindre frôlement de nos corps nous faisait tressaillir. Il ne me reprit pas la main. Je trouvai mes mains oisives, superflues et abandonnées. Je les enfilai dans mes poches.

21

Bi philosophait autant que possible. Il s'efforçait d'emprisonner mon âme dans son esprit. Il avait sûrement fait la même chose avec Hua et toutes les autres filles rencontrées. Je l'entendais vaguement dire que la vie ne valait pas la peine d'être vécue mais que les plus intelligents et les plus sots continuaient de la vivre. Je pensais que j'étais très sotte car, en ce moment, je ne cherchais qu'à me faire reprendre la main. Il ne réagissait pas, et je devenais triste. J'aurais aimé faire le premier pas, enserrer son cou dans mes bras, par exemple. Maman m'avait toujours dit qu'une fille ne devait pas avoir de comportements légers ni paraître facile. Les hommes pouvant être légers, c'était le devoir des filles de leur donner du poids, de les maîtriser avec une douceur froide, de maintenir la gravité des choses, de vivre comme des montagnes. Maman avait connu plus d'hommes que moi et les comprenait sans doute mieux. Je me disais pourtant que si cet homme me reprenait la main, j'allais profiter de cette légèreté. Nous n'aurions pas de deuxième fois, je le savais bien. Je n'aurais pas de deuxième fois.

Il choisit une chaise éclairée par un de ces lampadaires standards qu'on trouvait dans toutes les rues de la ville.

— La lumière rend les gens raisonnables, dit-il.

— Mais pour quoi faire ?

Je détestais cette lumière pâle qui se collait sur mes joues et me rendait ainsi semblable à mon père. L'homme à côté de moi faisait mine de ne pas me comprendre. Parfois, derrière notre chaise, dans les buissons, les feuilles noires frissonnaient brusquement. Des murmures et des soupirs s'élevaient, entrecoupés par des rires et des sanglots étouffés. On entendait même un petit tapotement sur une chair nue. Ce concert de nuit semblait lui serrer la gorge : il se tut. Il n'osait plus bouger. Le silence s'accumulait entre nous à la manière d'un nuage de tempête dans un ciel d'été.

Enfin, les buissons redevinrent paisibles. Il était temps de rentrer. Nous traînâmes nos jambes lasses vers la sortie.

Je ne le regardai pas. Mais mon esprit l'absorbait. Son corps tournait en tous sens dans ma tête. Il dut le sentir car il respirait à peine, le pauvre. Je ne le lâcherais pas. Ce serait ce soir ou jamais. Lui, il pouvait attendre. Il suivrait les étapes avec patience. Il aurait son certificat de mariage. Il coucherait avec Hua ou une autre, dans une chambre à lui et bien meublée. Il se permettrait d'agir avec pudeur et retenue, car il vivrait longtemps. Il vivrait longtemps à force d'économiser son énergie. Moi je n'en avais pas le temps. Maman était fâchée. Elle m'attendait à la maison. Mon juge m'attendait. La condamnation serait sévère. Il fallait vivre sur-le-champ, à l'instant même. Vite, vite, il n'y avait pas une minute à perdre. Il fallait s'épuiser jusqu'au dernier souffle. Ou ce serait trop tard. Une fille devait conserver le poids de ses os en s'alimentant de patience, avait dit maman, ce qui l'aiderait à préserver, aux yeux des hommes surtout, sa valeur le plus longtemps possible. Ce principe d'économie – cette avarice du désir, cette stratégie de la possession – ne me servait plus maintenant. Mes os pesaient si peu que je ne sentais plus mon corps. Je me voyais déjà en cendres. Non, décidément, je n'avais pas de valeur.

— Et si c'était la dernière fois qu'on se voyait ? lui dis-je en retenant un sanglot.

— Pas possible ! protesta-t-il.

— Mais s'il arrivait quelque chose...

— Quoi qu'il arrive, on se reverra !

— Mais ce sera différent ! criai-je. Ce ne sera plus comme aujourd'hui !

Il s'arrêta. Il me fixa comme un inconnu et me saisit brutalement le bras. Il me fit mal, je me demandais si c'était par désir ou par désespoir. Nous retournâmes dans l'obscurité. En hâte. Les gens qui se dirigeaient vers la sortie nous croisaient. L'un d'entre eux nous fit un clin d'œil :

— Avez-vous perdu quelque chose dans l'herbe ?

J'éprouvai un grand soulagement en sortant des buissons. Bi se tenait près de moi. La chose était faite. Je m'étais fait déchirer le corps. Maman avait donc pondu un corps qui ne valait plus rien. Ce corps devenu impur se confondrait désormais plus facilement avec la boue. Tranquillement, j'arrangeais mes cheveux et le col de ma chemise. C'était la première fois. J'avais vingt-cinq ans et c'était la première fois. Je croyais m'être vengée de tout le monde pour mes premiers jours perdus. Je m'étais vengée de maman qui m'avait mise au monde sans m'avoir dit toutes les vérités sur la vie. Elle qui s'était mariée à dix-huit ans me voulait vierge le plus longtemps possible et se jetterait à la rivière en apprenant l'événement de ce soir. Je m'étais vengée de Chun qui, soucieux de ne pas compromettre la bonne fille que j'étais, n'avait jamais osé me toucher. Il se le permettrait seulement après avoir apposé sa signature sur des feuilles de mauvaise qualité, serré les mains de gens inconnus pendant le banquet et, enfin, allumé les pétards colorés qui rendraient l'air malsain. Il était comme mon père, c'est-à-dire mon père professeur d'avant l'accident : sa raison était plus forte que son corps. Du même coup, je m'étais vengée de mon père d'autrefois qui méprisait tant le marché du dimanche matin plein de légumes et de viande, de terre et de sang, de toutes ces insignifiances qu'il qualifiait de charnelles. Si maman me posait encore sa question préférée, si elle me demandait « Crois-tu que le feu puisse être dissimulé par du papier ? », je lui dirais que non, qu'en effet le feu ne pouvait être dissimulé par du papier et que par conséquent il fallait abandonner le papier.

Or, cette soirée ne m'avait pas vraiment instruite. J'avais eu mal. J'étais trop vieille pour faire cela pour la première fois. Si j'avais pu comme maman débuter à dix-huit ans, pensai-je, je n'aurais pas eu à tant souffrir. Ce devait être merveilleux quand le corps était jeune et souple. Hélas, je ne pouvais retrouver mes dix-huit ans. Le temps s'écoulait à sa propre vitesse, infaillible, sans songer à me récompenser de ma virginité. À cause de maman, ma vie demeurerait à jamais imparfaite. Et puis, entre Bi et moi, tout s'était fait trop précipitamment. Et c'était encore à cause de maman. J'avais avalé une vérité qui s'était vite perdue dans mon ventre. Je la cherchais en moi. Je ne sentais qu'un creux indéfinissable.

Dans la rue, je continuais à caresser le dos de Bi. Son enthousiasme fondu dans les buissons du parc, il avait un corps mou et dégoûtant. Il posait sa main sur mon épaule à cause de la fatigue. Je lui montrai le ciel ruisselant de lumière blanche et il leva la tête par politesse. Passant devant le magasin de meubles, il ne s'arrêta pas. Je pensai à Hua :

— Que deviendra-t-elle si elle est au courant ?

— Elle le saura tôt ou tard, répondit-il sans hésitation.

— Elle t'aime.

— Si elle a pu m'aimer, elle en aimera autant un autre.

Je fus secouée par ce raisonnement dont la lucidité tranchante rappelait les rides prématurées de son visage. Au fond, je n'étais pas très différente de Hua, personne n'était vraiment différent des autres, la mort nous rendant universels. Et il était assez intelligent pour comprendre cela. Au bout de quelques instants, je repris :

— Tu ferais mieux de m'oublier.

— Pour qui me prends-tu ? Je ne suis quand même pas irresponsable à ce point !

J'étais donc devenue sa responsabilité. Je n'étais plus vierge à partir de ce soir et il s'en sentait coupable. Il s'engageait à rester désormais avec moi, au nom d'une vérité déjà disparue dans mon corps.

Je lui demandai si je devais moi aussi me sentir responsable de lui. Il me dit que non et que c'était plutôt de sa faute. J'eus envie de rire, mais ne le fis pas. Je savais que mon rire lui ferait peur. J'essayai de le rassurer en disant qu'il n'y avait aucune faute nulle part et que j'étais contente de ce que j'avais fait. Il me remercia de ma générosité mais pensait toujours que c'était de sa faute. Je devins soudain très impatiente et, abandonnant la contenance d'une bonne jeune fille, j'ouvris grande la bouche, montrai mes dents irrégulières et criai comme maman le faisait avec moi :

— Alors, je te pardonne de ton crime !

Il retira la main de mon épaule et me contempla avec inquiétude.

La rue était devenue tranquille comme un cimetière. Le vent nocturne balayait les feuilles mortes. J'avais froid. J'attendais qu'il oublie sa faute et se souvienne de la tendresse que nous avions eue l'un pour l'autre. J'attendais qu'il me dise : Je ne te quitterai pas parce que je t'aime plus qu'une autre. Je recherchais, sans le savoir et peut-être sans vouloir l'avouer, quelque chose de plus fort que la mort, d'absolu comme la lumière, quelque chose pouvant me retenir un peu plus longtemps dans cette vie. Mon âme étant déjà dans la mer du néant, mon corps cherchait encore à s'accrocher quelque part. Bi était pour moi une branche d'arbre flottant à la surface de l'eau. Je comptais sur lui. Son visage était si richement gravé, sa taille si forte et ses épaules si reposantes. Il pourrait me faire oublier maman et jeter mes pilules. Mais il ne pensait pas à moi. Il ne pensait qu'à sa responsabilité. Il ne voulait pas me sauver. Ou il ne le pouvait pas.

Il m'accompagna jusqu'à la maison. Une lumière menaçante sortait de la fenêtre. Maman n'était pas couchée. Sur le pas de la porte, je le remerciai pour la soirée grâce à laquelle je mourrais désormais le cœur soulagé et le corps sans valeur. Je voyais à peine son visage. J'avais l'impression de parler seule dans les ténèbres. Il me pinçait doucement les mains comme pour me réveiller. Je devinai son air perplexe. Je lui expliquai que je n'avais pas voulu mourir sans avoir fait une fois cela. Il semblait rassuré et jura, sans grande émotion dans la voix mais avec beaucoup d'élégance, qu'il ne voulait pas mourir après ce qui s'était passé.

Pendant qu'il s'éloignait, je ne me rappelais plus s'il portait des lunettes. Je savais seulement qu'il était le fiancé de ma collègue, qu'il s'appelait Bi et qu'il aimait les meubles.

22

Je poussai la porte. Maman m'attendait près de la fenêtre donnant sur la ruelle. Je tressaillis à la vue de son visage défait. Une longue mèche de cheveux gris tombait jusqu'à ses lèvres livides. Ses yeux luisaient d'une façon étrange. Je me souvenais qu'un jour, très en colère, maman m'avait dit : « Fais attention ! Si tu continues à me décevoir ainsi, je perdrai patience et raison. Et si je n'ai plus de raison, si mon cerveau est malade comme celui de ton père, je n'hésiterai pas à te battre à mort ! » J'avais eu très peur. J'avais rêvé plusieurs fois à cette scène sanglante : allongée au pied du lit de mes parents, j'avais la gorge coupée et le corps trempé de sang ; papa était assis sur le lit, tremblant, le couteau encore tiède dans sa main ; maman avait ouvert la porte aux voisins et leur disait que ce n'était qu'un triste accident ; les gens la croyaient parce que maman pleurait à perdre haleine.

Il faudrait donc agir vite si je voulais mourir décemment. Je ne savais pas si je devais sortir mes flacons ou me jeter sur maman. J'étais prête à m'empoisonner ou à étrangler cette femme. Il fallait que cela finisse, d'une manière ou d'une autre. Il fallait arrêter la vie et effacer la honte. La honte d'avoir une mère et d'être moi. La honte d'avoir vécu et de devoir continuer. Je reculai sans le savoir, par habitude sans doute, car le recul était depuis toujours mon geste le plus naturel face à maman. De même, il y avait vingt-cinq ans, j'avais reculé dans son ventre, je ne voulais pas en sortir. Et maintenant, l'heure étant venue de retourner dans le vide, je reculais encore. Je ne savais où aller ni où rester.

Elle me contempla une seconde, puis s'élança vers moi :

— Tu oses encore rentrer dans cette maison ! Retourne chez tes hommes, va !

Alors que je me dirigeais lentement vers la porte, elle me saisit par les cheveux et me poussa contre un mur :

— Attends ! Avant de partir, dis-moi combien d'hommes te suffiraient !

Une ombre surgit du couloir. C'était papa, avec un verre d'eau froide dans la main.

— C'est une i... idiote ! dit-il en haletant, les paupières rougeâtres.

— C'est que je vous ressemble, papa.

Son verre se précipita sur moi et se brisa sourdement sur le plancher. De l'eau froide coula le long de ma poitrine. Quelques cheveux mouillés me collèrent aux joues. Lui et moi, nous nous fixâmes en silence. Son regard m'ordonna de baisser les yeux. Mais je ne le fis pas. J'étais occupée à le contempler. Je me disais que c'était bien lui, le père dont je portais certains gènes. Je ne voulais plus porter les gènes de cet homme et j'allais les tuer en me tuant moi-même. Mon regard meurtrier l'irrita. Il leva la main, très haut. Je suivis le mouvement de cette main. Bien, comme ça, oui, fortement, très fortement, finissez le travail, allez vite, pourquoi hésiter, descendez-moi, accomplissez votre destinée, maintenant, une fois pour toutes. La foudre éclata enfin sur mon crâne. Mais non, ce n'est pas ça qu'il me faut, cher papa, c'est trop mou, trop inefficace, trop humain. Je m'efforçai de me tenir debout. Je regardai avec ténacité dans sa direction. Mais je ne vis qu'une ombre vibrante. Encore, hurlai-je, encore! Comme dans un rêve, j'entendis maman lui dire que j'étais déjà morte pour eux, que ce n'était pas la peine de me frapper davantage et de risquer ainsi d'aller en prison. Papa sembla d'accord sur ce point et s'en alla sans faire de bruit. Pourtant, il ne serait jamais allé en prison. Au contraire, on apprécierait l'effort qu'il avait déployé pour faire une bonne citoyenne de cette enfant dont le manque exceptionnel de sagesse et de respect était inquiétant. La prudence de maman n'avait donc pas de fondement. Papa pourrait très bien continuer à me frapper sans risquer de s'attirer des ennuis.

Quand maman revint sur moi, je lui dis, tout excitée :

— Je l'ai fait! C'était très bien.

— Je sais que tu es sortie avec un autre, dit-elle les mains ouvertes et les yeux détournés.

Son regard me fuyait. Elle refusait de comprendre. Je voulais la mettre au courant. Je voulais que sa tête, sa tête de pierre fût foudroyée comme la mienne. Alors je lui dis :

— J'ai couché avec quelqu'un.

Je fus moi-même étonnée du calme de ma voix et de la joie féroce que j'avais éprouvée en lançant cette phrase. Maman chancela et s'assit par terre.

— Ça s'est donc vraiment passé, murmura-t-elle en respirant profondément. Depuis combien de temps tu le connais ?

— Une semaine.

— Ah!... Y a-t-il du sentiment ?

— Autant qu'entre vous et papa, je crois.

— ... Il t'épousera ?

— Mais non.

— Alors pourquoi as-tu fait ça ? Pourquoi !

Pour vous, maman, pour vous. Je la regardai avec amusement. Elle se mit à s'arracher les cheveux. Et je me tus. Il ne fallait pas la pousser à la folie. Je préférais qu'elle garde sa raison pour le moment. Ainsi elle souffrirait de mon départ dans toute sa lucidité. Chacune de ses fibres nerveuses serait touchée par cet événement. Elle ne savait pas encore ce qui l'attendait, pauvre maman. Elle me demanda pourquoi je ne lui avais pas dit tout ça plus tôt. Tout ça qui la concernait tellement. Je lui affirmai que je trouvais ça formidable. Mais je ne dis pas que, sauf le souvenir d'une douleur aiguë, j'avais complètement oublié le goût de cette aventure et que, en me livrant aux bras d'un inconnu, je n'avais pensé qu'à elle.

Elle se remit à raconter la souffrance qu'elle avait eue à l'accouchement, les sacrifices qu'elle avait faits pour m'élever et, enfin, l'espoir qu'elle avait mis en moi. Elle avait rêvé d'un merveilleux avenir pour nous deux, elle et moi. Dans ce rêve-là, il y aurait tout de même une place pour papa qu'on devrait accepter par charité et une autre pour mon futur mari, indispensable quant à la continuité de notre famille. Je serais sa première élue. Il était vrai qu'on m'avait nourrie de légumes bon marché pendant de longues années. Mais il y avait à cela de bonnes raisons. Il était nécessaire, n'est-ce pas, d'économiser pour assurer notre avenir et surtout pour me façonner par les épreuves.

— Tu as été plutôt bien jusqu'ici, conclut-elle d'un ton exceptionnellement généreux, un ton qu'emprunte souvent celui qui prononce un jugement final sur un disparu avant de fermer le cercueil. Tu ne te plaignais jamais, tu te contentais de la nourriture simple et des habits usés, tu étudiais bien, et jusqu'à maintenant j'étais presque fière de toi...

Elle s'arrêta pour avaler un sanglot. Ses yeux étaient devenus tout rouges. Je me consolai de l'effet obtenu. Et elle poursuivait :

— Mais je ne m'attendais pas à ce que tu descendes si bas, que tu te perdes à cause des hommes, que tu enterres ton avenir, ton très bel avenir dans les mains des hommes. Tu es impatiente. Tu demandes trop à la vie et tu n'obtiendras rien. Aucun homme digne ne t'épousera, tu vas voir. Ton bonheur a chuté avec ta morale. Tu passeras le reste de ta vie sans mari, sans enfant, sans famille, donc sans destinée... Devant toi, et aussi devant moi, les chemins sont coupés, l'abîme s'est creusé, le vide s'est installé, et tu reviens me dire en souriant : Ça y est, la chose est faite ! Oui, la chose est faite. Ta mort est faite, ma pauvre. Tu vivras comme une morte. Mon cœur aussi est mort... C'est un peu de ma faute. Si j'avais fait plus attention à ces hypocrites autour de toi, si j'avais surveillé de plus près tes sorties. J'aurais dû deviner tes tendances malheureuses depuis longtemps... Hélas, désormais les voisins riront de nous et cracheront sur notre dos. Ma vie est un échec. Tu m'as détruite, moi. Tu as tout détruit. Es-tu satisfaite, enfin ? Tu m'as fait assez de mal pendant toutes ces années, mais ce soir, c'est le comble.

— Alors, c'est fini ? demandai-je.

— C'est fini.

Des larmes roulaient sur ses joues.

Une forte sensation de délivrance me secoua. Je lui dis que, dans ce cas-là, je ne pouvais plus vivre à la maison.

— Fais ce que tu veux, soupira-t-elle en s'en allant vers sa chambre, je ne t'en empêcherai pas.

23

Je m'étalai dans mon lit, bras et jambes écartés. À ma mort, je choisirais cette position qui, sans doute, scandaliserait maman. Une position si peu féminine, avec tant de laisser-aller et tant d'insolence. Si légère, cette fille! Cette fille qui n'était pas à elle. Cette légèreté qui n'était pas à elle. Cet abandon de l'esprit et du corps. Cette bassesse... Figure-toi que tu n'as plus à vivre avec tes parents. Leur existence ne te concerne pas. Tu n'appartiens plus à personne. Personne. Tu es seule, très seule. Tes mains sont libres, tes pieds libres, ta tête libre, tu es libre comme le vent. Tu es le vent. Tu n'es rien d'autre que le vent. Tu viens de nulle part et ne vas nulle part. Tu circules dans l'espace et hors de l'espace, dans le temps et hors du temps. Tu côtoies l'Histoire mais tu n'as pas d'histoire. Tout ça parce que tu n'as plus de parents. Combien de fois Hua s'était plainte de sa famille. Son père décachetait ses lettres. Son frère lisait à haute voix son journal intime à table. Lorsqu'elle avait eu son premier rendez-vous avec Bi, sa mère les avait suivis jusqu'au parc pour voir si ce dernier était assez beau pour sa fille. Heureusement, avait dit Hua, il n'est pas trop laid, ce qui compense un peu, aux yeux de mes parents, son incapacité de trouver une chambre.

Qu'il serait donc merveilleux de ne pas avoir de parents, de vivre loin des obligations imposées par le lien du sang. Mais à l'idée de la chambre, une énorme inquiétude me piqua le bas-ventre. Je ne voulais pas aller mourir dans la rue. Je voulais quitter mes parents mais non pas le confort de leur foyer. J'avais besoin d'un endroit discret, n'est-ce pas, pour m'achever dignement. Le vent frappait les fenêtres. La nuit s'ouvrait dehors. Cette chambre allait me vomir après m'avoir possédée pendant tant d'années. J'avais été conservée dans son estomac, mal digérée et disposée à tous ses caprices. Maintenant que j'étais libre, incapable pourtant de récupérer ma vie déjà épuisée dans d'innombrables efforts de complaisance envers maman, j'espérais au moins mourir pleinement. La chose ne serait pas facile. Je devinais déjà les regards des curieux. Les mauvaises langues étaient prêtes à s'élancer sur moi, à me lécher et à me salir. J'entendais les souffles d'automne annonçant l'hiver. Et je regrettais déjà la tiédeur de cette chambre. J'hésitais. Non, je n'avais pas oublié mon objectif. Je n'ignorais pas mon destin. J'étais consciente de ma lassitude soudaine. Et je me permettais d'éprouver un peu de peur pour mieux la surmonter.

J'étais sur le point de m'ouvrir à maman. Mais que pourrais-je lui dire ? Qu'elle avait vainement souffert pour me mettre au monde, que je n'avais plus aucune envie de vivre cette vie ? Qu'elle devrait me pardonner mon irresponsabilité vis-à-vis de mes devoirs filiaux, puisque je n'avais pas voulu être sa fille ? Que les pilules m'attendaient dans mon sac avec une implacable patience, afin de mettre un point final à notre histoire, ce chapitre rempli de vaines espérances et de déceptions ? Que j'aurais préféré mourir dans son ventre plutôt que la quitter par une saison pareille ? Que j'aimerais mieux périr à ses pieds qu'aller ailleurs, me livrer aux regards étrangers ? Je me retenais. On ne parlait pas ainsi à son ennemi avant une attaque. On préparait son coup dans la crainte et dans la solitude. Le sommeil serait la meilleure solution. Or, je ne pouvais pas avaler mes pilules chez maman, bien que cela me tentât terriblement. Par ma mort, je comptais attirer l'attention de maman mais non celle de la police. Je ferais souffrir maman, c'était entendu, mais pas question de la faire envoyer en prison. Elle devrait être prise par sa fille, enfermée dans sa mort. Il ne s'agissait pas d'atteindre son corps. Pour elle, la souffrance physique était une épreuve enrichissante. Cela ne ferait que la soulager de son remords et de son désespoir. Je décidai de mourir en présence de maman mais hors de la maison.

D'ailleurs, maman me laisserait-elle encore rester à la maison même si je l'en suppliais ? Auparavant, chaque fois que je lui avais demandé de me libérer, elle avait menacé de se pendre. Mais ce serait différent cette fois-ci. Je n'étais plus vierge maintenant. La situation devenait grave quand on n'était plus vierge. Avec mon corps, ma vie entière semblait endommagée. Et une vie détruite était pire que le néant. Mon existence valait moins que zéro puisque maman aurait toujours honte de moi. Et on courrait un risque en me gardant à la maison car, si j'avais osé agir aussi imprudemment avant le mariage, je serais sans doute capable de bien d'autres bêtises. J'étais le cancer de cette famille.

24

Il n'est pas là, ce Seigneur Nilou. Il aurait dû venir me chercher, noter quelque chose dans son cahier et me conduire dans son royaume. Je rencontrerais des générations d'anciens vivants qui attendent leur retour au monde. Des rats injustement massacrés mordraient mon ombre. Des ancêtres nostalgiques s'acharneraient sur moi. Les parents de maman soupireraient à ma vue. Ils tiendraient encore dans leurs mains la règle en bambou avec laquelle ils avaient frappé ma mère, enfant, pour qu'elle apprenne à se soumettre et aussi à s'imposer dès le moment venu. Les enfants doivent comprendre, me diraient-ils en me pointant de leur règle, que la vraie force s'acquiert dans l'humilité, que la gloire n'est pas possible sans discipline et que la vraie vie est toujours autre. D'un geste las, Kong-Zi secouerait la tête : « Les femmes et les médiocres sont les plus difficiles à traiter. » Lao-Zi, de son côté, fermerait les yeux : « Qui confronte se brise. » À ces mots, une foule de jeunes suicidées se mettraient à larmoyer ensemble. À force de se confronter en vain à leurs parents, épuisées, elles avaient choisi de se jeter à l'eau. En s'approchant d'elles, on devrait encore sentir l'odeur familière de cette rivière qui empoisonne notre ville. Alors, exaspéré, Nietzsche leur crierait : « Pourquoi si molles, hein ? Vous n'êtes donc pas mes sœurs ? Vous voulez donc que je vous donne des coups de fouet ? Vous ne désirez donc pas vaincre avec moi ? Mais devenez dures, plus dures que votre mère, pour pouvoir un jour créer à votre tour, pour pouvoir un jour devenir mères ! »

Nous ne pouvons pas vaincre, puisque nous ignorons ce que nous allons devenir. Je devrais attendre mon tour pour pénétrer dans un corps quelconque, un corps de femme, de cochon ou de mouche, selon l'humeur de Seigneur Nilou. Il s'occuperait de moi, ce tyran de l'univers Yin, cette autre maman qui rendrait ma mort insupportable. Il se soucierait de nous faire naître, mourir, puis renaître, remourir, comme les insectes, comme n'importe quoi. Il ferait ce que maman ne pourra plus faire, c'est-à-dire qu'il se chargerait de me discipliner, de me punir en m'envoyant dans le monde des animaux domestiques, afin de m'inculquer davantage de sagesse.

Or, il tarde à se présenter. Le royaume des morts semble moins ordonné que ne le pense grand-mère. Je ne sais plus où aller. Je deviens anxieuse, car grand-mère a dit qu'on devait toujours aller quelque part.

Je vois, à travers le brouillard, un nuage rouge flotter au loin. Je ne le situe pas très bien. Il s'agit peut-être d'un flot de poussière roulant dans le monde de maman. La poussière est si épaisse qu'elle semble pouvoir enterrer la marée de passants en pleine rue. Parmi cette foule montent et descendent des rubans noirs et quelques fleurs blanches. Cela rafraîchit la mémoire. Cela me dit quelque chose. Quelque chose de funèbre. En effet, maman et papa marchent côte à côte, poussés par mes oncles, mes tantes, mes cousins et mes cousines. Ils sont vêtus de blanc et de noir. Bientôt, ce défilé est noyé par une lumière rouge. Les drapeaux, les étoiles en plastique et les foulards envahissent la rue. Je me rends compte alors que c'est la fête nationale. J'ai perdu conscience du temps. J'ai failli oublier une fête inoubliable. Les journées, les saisons et les années sont si peu remplies que cette fête semble importante. Tout peut arriver ce jour-là. Pendant qu'à la télévision les dirigeants lisent leurs discours sur l'avenir de cette nation et sur la bonne voie où ce peuple est avancé, on s'engage dans sa propre voie : on mange de son mieux, on signe des contrats, on se marie, on fait l'amour ou l'on tue. Le sang coule librement quand le corps se détend. Les hôpitaux, les cimetières et les prisons sont aussi occupés que les restaurants et les boutiques. Ce jour-là plus que les autres, on vit. Et on est heureux.

Maman a les yeux rougeâtres et les lèvres pâles. Ses lèvres gonflent tandis que ses yeux s'effacent. Puis les lèvres de maman se mettent à dévorer un à un les drapeaux. Le monde de maman est devenu un nuage sans couleur... Je vois mal.

25

Elle avait l'habitude de me prendre la main en traversant la rue. Elle saisissait en entier cette main vivante comme s'il s'agissait de son porte-feuille. Il faut faire attention, disait-elle, il y a tant d'accidents chaque année. Lorsque je devins plus grande qu'elle, je commençai à me sentir embarrassée, à tenter de retirer ma main et de m'écarter d'elle. Je me débattais contre la douce et ferme contrainte qu'elle exerçait sur moi. Je veux que tu sois heureuse, tu sais, me disait-elle.

À l'occasion des réunions de famille aussi, elle me tenait la main de force. Elle ne me regardait pas. Ses lèvres pincées me disaient : N'essaie pas de m'échapper, ma fille. Alors on venait lui dire des choses attendues :

— Ta fille a grandi, remarquait un cousin de maman.

— Elle te ressemble beaucoup, précisait une nièce de maman.

— Nous sommes vieux, nous comptons sur nos enfants, soupirait une tante de maman.

À ces compliments, maman oubliait sa contenance et son visage rayonnait de fierté. Un sourire rare lui effleurait le coin des yeux. Je croyais même entendre un rire éclater dans sa tête. Ses doigts pressaient fortement ma paume. J'avais peur que ses ongles solides ne déchirent ma peau et ne s'enfoncent dans ma chair. J'anticipais la douleur de cette blessure. J'avais vraiment mal. Je n'osais pas retirer ma main. Le moindre de mes gestes risquait de la mettre en éveil. Je pouvais vivre en paix tant qu'elle demeurait dans sa satisfaction de mère.

Je n'ignorais pas la place que j'avais occupée dans le ventre de maman ni ce que j'étais pour elle. Lorsque, ensemble, nous n'avions rien à nous dire, elle prenait ma main et la plaçait sur le côté droit de son ventre et me disait : Tu es là. Elle formulait cette phrase au présent, comme si je n'avais pas encore quitté son corps. Comment puis-je cesser de me soucier de toi ? ajoutait-elle, tu es un morceau de ma chair.

Chun m'avait dit des choses semblables. Lorsqu'il se trouvait au sommet de son amour et qu'il sentait son corps tout chaud, il murmurait souvent : Je t'aime tant que j'ai envie de t'avaler tout rond. Ou bien : Je suis ton grand loup, tu es mon petit lapin, ne songe jamais à t'enfuir, tu m'appartiens, tu entends, tu m'appartiens, à moi seul... Voilà ce qui expliquait l'éternelle haine de maman contre les garçons autour de moi. Elle voyait en eux des concurrents menaçants, des voleurs et des mangeurs de sa fille. Ces inconnus qui n'existaient peut-être pas encore à l'époque où je buvais le sang de maman dans son ventre.

Je comprenais alors que mes histoires d'amour étaient des écarts à la direction principale que j'avais prise en quittant le corps de maman. Avant de me mettre au monde, maman avait des idées précises concernant mon devenir. C'est pour ton bien, me répétait-elle chaque fois qu'elle essayait de me faire accepter ses idées. Ma vie devait égaler sa vie. Je ne devais vivre qu'à travers elle. Elle cherchait à s'incarner en moi, de peur de mourir. J'étais chargée de porter en moi l'esprit de maman dont le corps pourrirait tôt ou tard. J'étais censée devenir la reproduction la plus exacte possible de ma mère. J'étais sa fille.

Il fallait donc détruire cette reproduction à tout prix. Il fallait tuer sa fille. Il n'y avait pas d'autres moyens de la rendre plus sage. Je ne pouvais pas être moi autrement.

26

Je me demandais parfois si je ne pouvais trouver un compromis entre la vie et la mort. J'avais pensé par exemple quitter la ville et ne plus y revenir. Une disparition inexpliquée ferait autant de mal à maman qu'une mort volontaire. Un espoir jamais assouvi serait plus cruel qu'un désespoir total.

Mais serais-je seulement capable de vivre sans elle ? Que deviendrais-je si je n'étais plus sa fille ? Si je déménageais ailleurs, mes nouveaux voisins me demanderaient d'où je venais et pourquoi je ne restais pas dans ma ville. Et mes nouveaux amis voudraient savoir qui étaient mes parents. Ils seraient déconcertés d'entendre dire que je n'avais pas de parents. Tout le monde devait avoir une mère et un père. Il faudrait que je leur parle des miens. On ne pouvait pas venir au monde tout seul. On ne pouvait pas exister sans parents. Une personne sans parents est misérable comme un peuple sans histoire. Pour qu'on puisse nous évaluer facilement et puis nous traiter avec justesse, il nous fallait faire la preuve de notre appartenance.

On ne vit pas seulement pour soi et par soi, me disait maman. Je t'ai dit et redit qu'il faut, en toutes circonstances, penser d'abord aux autres. Te rappelles-tu ce qu'a dit Kong-Zi sur le rapport de l'eau et du bateau ? Le bateau monte quand l'eau monte, le bateau retombe quand l'eau retombe, le bateau se renverse quand l'eau s'emporte, le bateau n'avance pas quand l'eau est morte. As-tu bien compris tout ça ?

Bien sûr, je comprenais. Maman était cette eau toute puissante et j'étais cet esclave de bateau. Je naviguais sur une eau agitée dont je ne pouvais pas tenter de m'éloigner sans risquer de m'y noyer ridiculement. Je ferais mieux d'y rester, essayant d'en étudier les humeurs et de m'y adapter tant bien que mal.

Or, peut-être n'avais-je jamais sincèrement voulu me sauver. Combien de fois, en voyage hors de la ville, sous les couvertures qui sentaient l'étranger, je pensais à l'odeur de maman. Elle suait lorsqu'elle se fâchait. Elle sentait cette rivière noire traversant la ville. Maman me disait qu'il s'agissait aussi de *ma* rivière. Et à chacun de mes retours, en passant par ma rivière, mon cœur palpitait. La puanteur de l'eau affluait de loin. Elle m'entraînait vers maman, comme Seigneur Nilou peut-être conduisait ses élus vers son royaume. Je cherchais maman dans l'air et elle était présente partout. Elle me possédait sans être là. Je n'avais pas le sentiment agréable de rentrer chez moi. Je m'y sentais plus en voyage qu'ailleurs. Tu es un bateau, me reprochait maman, ton âme n'est jamais en paix et tu me fatigues. Et effectivement, au fil des années, je m'étais cultivé un esprit de bateau. Dans les moments d'hallucination, je ne voyais rien d'autre que de l'eau. Le monde entier semblait bâti sur une matière liquide coulant dans tous les sens. Et cette ville, loin d'être un port reposant, était une mer qui me poursuivait sans relâche. Une mer sans rives. Tant que je demeurais en vie, je ne pouvais pas m'en débarrasser. Elle m'avait trempée jusqu'aux os. Son odeur me hantait dans mon sommeil. Je ne supportais pas qu'avec le temps elle devienne indifférente à mon absence. J'aurais aimé, avant de m'engouffrer dans ses tourbillons, imprégner son âme insensible de ma fureur de bateau.

27

Je me levai à l'heure habituelle. Je me lavai soigneusement. Je mangeai un bol de soupe au riz accompagnée de radis salé. Dans le couloir sombre menant à la salle de toilettes, maman me croisa. Elle eut un mouvement de sursaut. Ses paupières étaient gonflées et son dos se courbait un peu. Elle avait sans doute mal dormi elle aussi.

— Maman, vous avez peur.

— De quoi ? Et pourquoi dois-je avoir peur ?

Et elle me regarda dans les yeux. Avait-elle senti quelque chose ?

Je quittai aussitôt la maison. Je montai dans l'autobus qui chaque matin me menait au bureau. Je ne fus même pas en retard.

J'avais songé à vider mes flacons de pilules dans mon ventre creux et appeler maman par la suite. J'aurais tout juste eu le temps de lui dire, froidement, que je l'aimais malgré tout, que j'étais en train de crever pour elle. Elle me verrait transportée par une ambulance. Elle n'aurait pas l'occasion de me supplier de rester. J'aurais le plaisir de voir son corps se tordre de remords et d'apprécier la laideur de son visage envahi par la folie. Puis je sourirais. Oui, c'est moi qui rirais la dernière.

Mais voilà que mes collègues surgirent. Lao-Ma me regarda de loin avec pitié. Hua me jeta à la figure des injures que je comprenais à peine.

Évidemment, Bi lui avait parlé de notre sortie et elle était en crise. J'essayai de la rassurer :

— Qu'est-ce que tu as, ma chère ? Tu n'as rien perdu, il est à toi.

Elle se retint quelques secondes pour éclater à nouveau avec plus de vigueur :

— Trop tard. Il est changé. Il n'a plus de cœur, c'est ce qu'il m'a dit. Tu lui as mangé le cœur, espèce de...

La fureur déformait presque son visage. On la regardait avec curiosité. Ma voix s'attendrit :

— Écoute, je ne voulais pas te faire de mal. Je t'ai seulement emprunté ton homme. Je devais coucher avec quelqu'un. Je n'avais jamais encore couché avec un homme, tu te rends compte ? Mon fiancé ne veut pas faire ça avant le mariage, mais moi je ne peux pas attendre. Il faut que tu me comprennes, Hua, je suis pressée. J'ai eu à peine le temps de faire ça une fois. Je n'en ai vraiment pas assez pour m'occuper des cœurs. Maintenant que c'est fait, je ne veux plus le revoir, je te le jure. Tu comprends un peu, non ?

Elle ne comprenait pas. Elle glissa par terre et se mit à pleurer et à frapper le plancher. Lao-Ma tournait en rond autour de nous :

— Calmez-vous, les filles, calmez-vous !

Ceux qui venaient assister au spectacle me croyaient immorale sinon malade. Ils pensaient tous que je ne pouvais pas travailler ce jour-là. Peut-être plus jamais. Ils m'envoyèrent au bureau du directeur qui se chargea de faire mon éducation. Je n'ignorais pas les conséquences possibles de son sermon. Je risquais de me faire expédier à l'hôpital et enfermer avec des fous, si le directeur le jugeait nécessaire. Alors je m'efforçai de jouer à la petite fille ignorante, d'affecter une voix fragile et innocente, de le fixer d'un regard doux qui disait : J'ai besoin de vous, sauvez-moi. Le directeur avait une fille de mon âge et je lui faisais penser à elle. Il poussa un soupir et s'affaissa dans son fauteuil. Je fus alors sûre de bien me tirer de cette affaire. Mais avant, je devais lui confesser, en détail, ce que j'avais fait avec Bi et ce que j'avais dit à Hua tout à l'heure. Il finit par penser que j'étais une victime de la pollution culturelle :

— Tu es trop jeune, dit-il. Trop jeune ! Quand on est jeune, on est particulièrement vulnérable aux mauvaises influences, aux choses étrangères qui viennent entacher nos mœurs auparavant si pures. Voilà pourquoi nos jeunes ont besoin d'être dirigés en tout temps et dans tous les domaines... Et surtout, poursuivit-il, si tu avais encore un minimum de bon sens, tu ne devrais pas dire en public ce qui ne se dit pas.

— Je le savais bien, Directeur, mais je n'avais pas le temps.

— Pourquoi es-tu si pressée ?

Il posa cette question d'un ton affirmatif. Il n'attendait pas de réponse. Il me suggéra de me concentrer sur mon travail et d'éviter les revues douteuses. Il me conseilla même, avec un clin d'œil complice qui me déplaisait, de me marier le plus tôt possible. Et pour finir, il m'ordonna de retourner à la maison lui rédiger une autocritique. En général, une vraie bonne autocritique couvrait au moins deux pages et nécessitait un après-midi de réflexion. Après, je pourrais revenir au travail.

Comme je ne bougeai pas tout de suite, le directeur me demanda ce que je pensais.

— Je pense à maman.

Cet aveu lui plut vivement :

— Ah, tu aimes encore ta mère. Cela veut dire que tu n'es pas tout à fait perdue. Ton âme peut encore être sauvée. J'aimerais pouvoir parler à ta mère. J'ai besoin de sa collaboration. Est-ce qu'elle est sévère envers toi, ta mère ?

— Très, Directeur.

— Tant mieux, dit-il avec joie, en donnant une claque sur son bureau. Dans ce cas-là, je pense que tu as encore de la chance. Beaucoup de chance !

Le directeur me congédia avec bonne humeur. Je sortis du bâtiment sous les regards écrasants de mes collègues. J'oubliai un moment ce que je faisais dans cet endroit devenu presque méconnaissable. Je n'avais pas pu toucher à mes flacons. Pas besoin d'appeler maman. J'étais renvoyée à elle. Mon corps intact était de nouveau dans un autobus familier, sur le trajet quotidien. Vraiment, ma vie ressemblait à cet éternel aller et retour.

28

Vers midi, oncle Pan frappa à la porte. Il descendait souvent chez nous lorsqu'il avait du travail dans notre ville. Je devais alors lui céder ma chambre et coucher dans celle de mes parents. Nous avions un lit supplémentaire que nous installions au besoin, pour ensuite le défaire. À force de m'allonger de temps en temps dans ce lit instable, j'avais l'impression d'être une enfant provisoire, une passagère dans la vie de maman.

Dernièrement, il venait pour des raisons de santé. Il était atteint d'un cancer à l'estomac et il ne le savait pas. Tout le monde lui mentait, le trahissait. Cela faisait partie de la stratégie médicale. Maman disait que, dans cette situation, le mensonge n'était pas un péché, puisqu'il pouvait mieux maintenir mon oncle en vie et le rendre heureux. Je croyais qu'il n'était pas heureux de toute façon, puisqu'il avait tant de soucis. C'était un bon ingénieur. Il avait de bons plans de travail que la direction rejetait trop souvent. Pour lui, ses plans de travail étaient une question de vie ou de mort. À table, il mangeait peu à cause de sa mauvaise digestion. Mais il parlait sans arrêt de son travail et s'emportait à l'idée que son fils avait eu cette année de mauvaises notes à l'école. Ah, ah, ces jeunes d'aujourd'hui! s'exclamait-il. Et maman me regardait avec triomphe. Oncle Pan s'inquiétait donc de beaucoup de choses, distribuait généreusement son énergie, comme s'il avait encore devant lui une éternité.

Il était assis le dos contre la fenêtre. Vers la fin du repas, il devint très pâle, la lumière méchante de l'automne se reflétant sur lui. Il ne parvenait pas à vider son bol de riz, ce qui le faisait particulièrement souffrir, plus encore que son estomac. Il fixait son bol avec désespoir, s'entêtait à mettre un grain de riz de plus dans sa bouche. À quelques reprises, il dut appuyer une main sur ses lèvres afin de réprimer une nausée. Le repas terminé, on n'attendait que lui pour débarrasser. Maman devait retourner au travail dans l'après-midi. Elle lui proposa d'abandonner le bol et de le finir plus tard. Alors il lâcha son bol, le cœur contrarié et le front parsemé de petites perles de sueur.

C'est que maman et mon oncle avaient la commune conviction, sans doute héritée de leurs parents, qu'il ne fallait pas, mais absolument pas, si on voulait suivre la volonté du Ciel, laisser une seule miette de riz dans son bol à la fin d'un repas. Sinon on serait foudroyé. Et ce d'abord par les parents. Lorsque j'avais commencé à utiliser les baguettes, j'avais été privée de plusieurs repas pour avoir laissé un peu de riz dans le fond de mon bol. Si, m'avait dit maman, tu avais vécu les périodes difficiles que tes grands-parents ont connues à la campagne, tu comprendrais que le gaspillage est un crime. Il était d'une grande justesse, n'est-ce pas, d'enseigner aux enfants les peines et les habitudes de leurs parents. C'était un peu de cette façon que les traditions se conservaient d'une génération à l'autre, que les races survivaient aux vicissitudes du temps. Ainsi, après une vingtaine d'années d'exercice, j'étais parvenue, avec mes baguettes, à vider mon bol de riz de sorte qu'il donnait l'effet d'être soigneusement léché. J'avais acquis la capacité de percevoir d'un seul coup d'œil le moindre grain de riz au fond d'un bol. Et les bols mal vidés qui traînaient sur les tables du restaurant Bonheur me causaient toujours de véritables angoisses. Je devinais donc que, tout comme moi, oncle Pan avait sans doute été sévèrement puni dans son enfance pour ses manières à table. L'enseignement de ses parents était gravé dans sa mémoire à tel point que, sommé de choisir entre sauter par la fenêtre ou laisser du riz dans son bol, il ne donnerait pas tout de suite sa réponse.

Avant de quitter la table, maman dit à son frère que le climat de notre ville lui convenait mieux et qu'il pouvait rester à la maison aussi longtemps qu'il voulait. Cela sous-entendait qu'il pourrait nous confier le reste de sa vie. Non, ce n'était rien, à quoi servait la famille autrement ? On était là, on allait s'occuper de toi, de ton avenir peut-être, mais surtout de ta maladie et de ton cadavre. Oncle Pan ne savait pas que la générosité de maman était conditionnelle et que son séjour dans cette maison ne serait que très court.

— Alors ma pauvre nièce sera obligée de coucher dans votre chambre, dit-il inquiet. Avec le temps, ça deviendra un inconvénient. Elle est une grande fille maintenant.

— Non, non, s'empressa de dire maman en secouant la tête, ne t'inquiète pas d'elle. Ses ailes ont durci, elle va s'envoler maintenant.

— Comment s'envoler ? Où ?

Son visage reprit un peu de vie sous le coup de l'étonnement, sachant bien que je n'avais pas encore de projet de mariage et qu'une fille n'acquérait jamais d'ailes hors d'un mariage.

— J'ai trouvé un logement près de mon bureau, lui dis-je d'un air léger.

— Ah, les choses m'échappent de plus en plus maintenant, dit-il, en passant la main sur le front. Eh… ce ne serait pas à cause de moi, j'espère ?

— Pas du tout, mon oncle, ne vous en faites pas. J'attends ce jour depuis longtemps. En effet, j'ai vidé les armoires ce matin et vous pouvez déjà y ranger vos affaires.

Il se tourna vers maman et lui déclara qu'il avait toujours apprécié cette nièce qu'il trouvait parfois… extraordinaire.

Pendant que mon oncle prenait un thé avec maman, j'allai préparer ma valise. Je contemplai cette pièce où j'avais longtemps vécu. Comme si elle se trouvait au milieu d'un désert de sable traversé par le vent, les traces de ma vie y seraient vite effacées. Bientôt, l'armoire serait remplie du linge de mon oncle, rangée d'une manière différente de la mienne. Le lit serait pénétré par l'odeur d'un autre corps. Les quatre murs impassibles, qui avaient avalé mes années de jeunesse, se mettraient à absorber le reste d'une autre vie. Et lorsque mon oncle disparaîtrait – tout le monde savait qu'il était venu chez nous finir ses jours – ses traces seraient également nettoyées. S'y installerait probablement une autre vie qui, malade ou saine, heureuse ou malheureuse, avec ses habitudes, ses mensonges et ses vérités, se terminerait dans la même froideur de briques. Ce pensant, je regrettais terriblement de m'être jadis trop souvent enfermée ici, d'avoir tenté l'impossible. Contenter papa sans me rendre semblable à lui. Aimer sincèrement Chun sans en avoir l'air devant maman. Plaire à maman en lui désobéissant. Consoler grand-mère sans irriter maman. Et me montrer reconnaissante envers mes parents sans apprécier la vie qu'ils m'avaient donnée. Je regrettais d'avoir trop réfléchi sur trop de choses. Ceux qui pensent ne vivent pas longtemps, disait grand-mère. Elle n'avait pas besoin de réfléchir pour connaître le danger de la réflexion. Et moi, ce fut encore en pensant que je compris qu'il ne fallait pas penser. Un fonctionnement aussi désastreux de mon cerveau ne pouvait provenir que des gènes de mon père.

J'en voulais à maman de m'avoir abandonnée comme cela, mine de rien. Elle n'était pas obligée, bien entendu, de garder auprès d'elle une enfant décevante. Si je t'avais connue avant ta naissance, me disait-elle, je me serais fait avorter! Je m'attardais pourtant dans ma chambre. Tout m'était devenu précieux: le lit, l'armoire, la petite table et une chaise en fer. Les murs n'avaient jamais été repeints depuis mon enfance. De temps en temps, de la peinture blanche tombait en morceaux irréguliers. La surface de ces murs dessinait des formes intéressantes. Elles étaient plus belles que ces tableaux-là qu'on appelait les œuvres et qui, accrochées aux murs des galeries et bravement exposées au public, faisaient penser aux cravates des messieurs sérieux. Le soleil de l'après-midi entrait par la fenêtre et allait se blottir contre un coin du mur. Sa beauté discrète et sa tendre présence sur le mur m'avaient toujours plu. Je ne croyais pas pouvoir le retrouver ailleurs. Le soleil chez maman ne serait jamais le même que celui chez les autres. J'avais perdu mon soleil. Au fond, je ne l'avais jamais eu. Ce que je croyais être le soleil n'était qu'un reflet d'une étoile lointaine. Une lumière mensongère. Une illusion. Je ressentais à cet instant la ridicule mélancolie des adieux. Je m'approchais de la fin d'une histoire sans début. Cette chambre m'échappait elle aussi, en emportant le peu de choses qu'apparemment la vie me réservait.

29

Les voici tous dans le cimetière. Il s'agit de me dire encore une fois adieu. Ils ont l'air respectueux. Mes tantes tiennent les bras de maman de peur qu'elle ne s'évanouisse. Précaution superflue. Maman marche du pas le plus solennel du monde. Elle se charge même de maintenir l'ordre pendant la cérémonie. Elle retient les sanglots et les larmes. Elle refuse les consolations. La mort de sa fille constitue pour elle plus un échec personnel qu'une perte sentimentale. Elle n'accepte pas de pitié, surtout pas celle de ses belles-sœurs souvent hypocrites qui riraient de son infortune. Oui, elle connaît trop bien la nature humaine pour se permettre de se laisser aller à ses sentiments dans une situation aussi critique.

Ils passent un à un devant la boîte qui contient les cendres de mon corps. Ils fixent le vide et pleurent. Ceux qui avaient été proches de moi soupçonnent bien la raison de ma mort. Et certains ont mauvaise conscience. Oncle Pan n'ose pas avouer à tout le monde qu'il habitait chez nous avant l'accident, croyant que j'ai quitté la maison un peu à cause de lui. Bi se punit encore d'avoir fait avec moi la chose inconvenante, en se détournant de Hua qui est venue elle aussi. Mes collègues, entre autres Lao-Ma, reprochent à Hua de m'avoir adressé des insultes qui auraient été mortelles. Quant à Chun, il a failli se livrer à la police et avouer qu'il était d'une certaine façon mon assassin. On s'incline volontiers devant cette boîte de cendres. Il est facile de reculer devant un rien. On s'accorde le pathétique plaisir de se rabaisser un peu, lorsque le corps d'un autre disparaît complètement. La supériorité d'être en vie mérite bien quelques instants d'humilité envers les morts. Mais il y a des limites à tout. Il faut tout de même garder la face devant les vivants. C'est pourquoi, en sortant du cimetière, chacun se sèche les paupières, reprend son sang-froid et se salue avec politesse.

Maman part la dernière, non parce que les cendres de mon corps l'intéressent, mais qu'elle a encore des choses à me dire, un vieux compte à régler avec moi.

Je te préfère ainsi, commence-t-elle tout bas. Oui, je te préfère en poudre. Tu es très douce comme ça, très mignonne, sans épingles ni cornes. Ton silence d'aujourd'hui est plus authentique que jamais. Il ne m'effraie plus. Au contraire, il me réconforte. Avec ta mort, tu comptes affoler ta mère, ma pauvre idiote, tu as peut-être raison, mais ton silence suffit pour me calmer maintenant, me sauver du désarroi dans lequel tu as voulu me pousser. Ton ultime insulte se défait avec ton corps. Tu vois, tu te trompes. Tu t'es mortellement trompée. Oh, ma fille, tu paies trop cher ton erreur. Évidemment, les livres ne t'ont pas rendue plus intelligente. Combien de fois je vous ai dit, à toi et à ton père, qu'il faut être raisonnable avec les livres comme avec l'alcool. Ils déroutent l'esprit et endurcissent le cœur. Mais on ne veut pas me croire. Quand on a trop lu, on mélange le blanc et le noir, on prend les amis pour des ennemis, on piétine les êtres chers. J'ai dépensé toutes mes substances pour te garder en moi, te préserver des cicatrices de la vie, te préparer un avenir – car je dois penser à mon avenir et à celui de notre famille – hélas tu es tout de même partie. Je comptais sur toi. On avait besoin de toi pour continuer. Et voilà que tu t'en vas, sans nous aviser et sans te retourner. Tu t'engages dans une voie à sens unique. Tu nous abandonnes en route. Tes parents ne t'intéressent pas. Tu crois t'entendre mieux avec les morts. Tu veux les rejoindre, et tu tombes dans des cendres. Car, tu vois, les esprits ne sont que des cendres. Eh bien, maintenant, tu n'éprouves donc pas un peu de regret ? Oui, oui, je sais que tu regrettes. Tu dois regretter. Comment as-tu osé me faire une chose pareille ? Tu tapes trop fort, ma petite égoïste. J'étais prête à tout te pardonner. Tu pourras remuer Ciel et Terre, si tu t'amuses à contredire tes parents et à défier nos traditions. Je ne dirai rien, je fermerai les yeux, c'est tout. Tu pourras coucher avec n'importe qui et te réduire en putain, si ça te chante. Je ne t'en empêcherai plus. Je me soumets à mon destin. Je me soumets à toi, ma fille, ma souveraine fille. Mais, cette fois-ci, tu dépasses vraiment les bornes. Tu ne pourras plus revenir sur tes pas. N'est-ce pas que tu ne reviendras plus ?

Elle se dirige vers la sortie. Elle ouvre les mains, les approche de son nez pour les contempler de près. Elle y trouve une légère couche de poussière. Elle se met à se frotter les mains, attentivement.

30

C'était samedi. J'errais dans ma rue préférée, remplie de gens déjà endimanchées. Les amoureux marchaient la main dans la main. Les filles seules se promenaient avec leurs parents, l'air grave. Des regards curieux tombaient sur ma valise, puis sur moi. Dans les rues de cette ville, on mangeait de la crème glacée, on se serrait la main et on riait, mais on ne portait pas de valise. Les souliers battaient le sol à un rythme inlassable. Les rayons du Soleil couchant brillaient sur les cheveux bien coiffés. Comme ils paraissaient dignes et satisfaits, ces gens-là, et bien intégrés à ce qui les entourait. Ils aimaient sans doute leur mère et, tout à l'heure, ils pourraient rentrer chez eux.

Je poussai la porte du Bonheur. J'aurais aimé cacher quelque part ma valise, mais la patronne l'aperçut tout de suite. Elle avait le coup d'œil rapide, nécessaire pour attraper les clients qui tentaient de quitter la table sans payer.

— Comment ? demanda-t-elle, vous partez en voyage ?

Comme j'acquiesçai d'un signe de tête, elle laissa échapper une exclamation qui fit lever toutes les têtes.

— Vite, cria-t-elle, apporte un thé à Mademoiselle qui est pressée.

Elle supposait que les départs étaient toujours pressants. J'avançai vers ma place habituelle d'un pas faussement accéléré, sous les regards admiratifs.

La patronne, qui de toute sa vie n'était jamais sortie de la ville, vint prendre la commande elle-même.

— J'irai très très loin cette fois-ci, lui dis-je. Et je ne reviendrai plus jamais.

Alors elle protesta :

— Ne plaisantez pas ! Comment pouvez-vous me faire ça ? Mes clients reviennent toujours chez moi.

— On se reverra peut-être longtemps après.

Et elle me suggéra des rouleaux pour accompagner le thé.

La nuit arriva bientôt. Les piétons se dispersaient dans un tourbillon de vent. Quelqu'un ferma les fenêtres. Les lumières allumées, la rue paraissait déjà moins réelle que tout à l'heure. Les clients entraient et sortaient. Je demandai deux rouleaux de printemps. On me les servit encore ruisselants d'huile. J'avalai ces rouleaux de printemps dans mon ventre d'automne. J'avais un peu mal à l'estomac. J'étais néanmoins contente de ne plus avoir à manger à la maison. Je serais libre de manger beaucoup. Ou pas du tout. Je m'épargnerais le riz ce soir ! À la maison, on laissait tomber le riz seulement pour les grandes occasions : les mariages, les funérailles, ou la fête du printemps. Je pourrais donc, à partir de maintenant, me donner l'illusion de vivre en tout temps de grandes occasions. J'étais surtout heureuse de pouvoir enfin payer mes repas moi-même. Je n'aurais plus à donner mon salaire à maman qui, au lieu de me faire payer une pension, avait voulu le déposer entièrement à une banque pour accumuler ma dot. Cette dot m'avait enchaînée à maman d'une manière presque humiliante. Elle m'avait privée du plaisir de manger de la viande et me donnait l'impression d'être restée des années entières à un poste ennuyeux sans arriver pourtant à me nourrir. Comme si j'avais travaillé tout ce temps-là seulement pour préparer mon mariage. Les avances de Chun perdaient ainsi tout romantisme à mes yeux. Les amours que j'avais eues dans le passé étaient, me semblait-il, compromises depuis le début par la préparation de cette dot. Mais en y réfléchissant bien, les démarches de maman n'étaient pas vraiment bizarres. Une dot préparée avant l'arrivée d'un amour était aussi nécessaire qu'un cercueil construit avant les premiers signes de la mort. On pouvait terminer sa vie de mille façons, mais le cercueil, en tant qu'avenir ou point final du voyage, était absolu. Pour maman, donc, la dot était une nécessité alors que l'amour n'était qu'une condition.

J'étais satisfaite de mon raisonnement. Je trouvais qu'au fond, ce n'était pas une mauvaise idée de se préparer une dot. Maintenant que j'allais avoir tout mon salaire à ma disposition, je ne saurais qu'en faire. Je n'avais pas l'habitude de dépenser. De quoi d'autre peux-tu te plaindre ? m'avait dit maman, je t'ai toujours donné le nécessaire, moi ! Et c'était vrai. J'ignorais ce qui pouvait bien exister hors du nécessaire. J'ajouterais peut-être, si je ratais mon suicide, un peu plus de viande ou de poisson dans mes assiettes. Et l'amour ? N'était-ce pas un peu trop exiger que de vouloir l'amour quand on possédait déjà une dot et probablement une chambre ? Cherche ton amour dans les romans, disait Hua, mais pas dans la vie. Sinon tu gâcheras tout ! Maman semblait bien avertie de tout cela. Était-ce pour cette raison qu'elle voulait se réfugier dans le nécessaire et que, avec une résolution de fer, elle se chargeait de me protéger, en écrasant une à une mes illusions ?

Maintenant que j'avais quitté la maison, j'aurais pu oublier maman, laisser tomber mon projet de vengeance et continuer mon chemin. Mais, du fond de ma tête, les yeux de maman me guettaient. Sa voix aussi remplissait mes oreilles, sa voix aiguë et ferme. Pour le moment, la maladie de l'oncle Pan distrayait son attention. Mais dès qu'elle aurait retrouvé son temps et son énergie, elle se retournerait et se jetterait sur moi. Un jour, nous avions eu une conversation mémorable :

— J'ai envie d'être moi, maman.

— Tu ne peux pas être toi sans être ma fille.

— Je suis d'abord moi.

— Tu as vécu d'abord dans mon ventre.

— Je veux être seule maintenant.

— On n'est jamais seul. On est toujours fille ou fils de quelqu'un. Femme ou mari de quelqu'un. Mère ou père de quelqu'un. Voisin ou compatriote de quelqu'un. On appartient toujours à quelque chose. On est des animaux sociaux. Autrui est notre oxygène. Pour survivre, tu ne peux pas te passer de ça. Même les minuscules fourmis le comprennent mieux que toi.

— Si je ne tiens pas à survivre ?

— Fais comme tu veux. Mais tu ne peux pas nier que je suis ta mère et que ton père est ton père. Ça non. Jamais. Ta grand-mère ne te l'a donc pas appris ? Même mort, notre esprit continue à appartenir à la famille.

— Et Seigneur Nilou ?

— Seul notre spectre le suit.

— Mais, s'il vous plaît, maman, essayez de prendre les choses comme si je n'avais jamais existé ni dans votre ventre ni dans ce monde.

— Comment le pourrais-je ? Dès qu'on met au monde un enfant, on est condamné à vie. Tu sais, on est condamné à garder cet enfant. Même si notre esprit peut repousser cet enfant, notre corps le demande. Il faut être mère une fois pour le comprendre.

Il n'y avait donc pas de solution. Impossible de ne pas appartenir à quelque chose. Impossible du moins quand on est vivant.

La patronne me questionna sur l'heure de mon départ. Je lui avouai que je ne la savais pas exactement. Et elle me regardait d'un air douloureux. Je compris que j'étais restée là trop longtemps. Il était dix heures. Le restaurant s'était presque vidé. Je promis à la patronne de m'en aller très bientôt. Je comptais tout régler ce soir même, car je ne savais où passer la nuit. Je me mis à écrire la lettre d'adieu. Je tâchais d'être le plus hypocrite possible :

« Chère maman, je vais mourir maintenant. Seriez-vous étonnée si je vous disais que je meurs pour vous, comme d'autres meurent pour leur amoureux ? Je vais faire ce geste excessif, une bêtise, diriez-vous, car je ne trouve pas de meilleure façon pour vous manifester mon dévouement. Je suis maladroite, vous savez. Je ne pense qu'à vous, maman, pour une raison devenue aujourd'hui évidente : je ne serais rien du tout si vous ne m'aviez pas formée avec votre sang et guidée par votre puissante clairvoyance. Ma reconnaissance à votre égard est immense. Dans l'ancien temps, on sacrifiait les enfants pour le bien de la communauté. Aujourd'hui, si mon acte pouvait réparer toutes mes maladresses qui vous ont fait souffrir, mon âme serait apaisée. Je n'ai jamais osé, maman, vous avouer mon amour pour vous, au nom de la discrétion à laquelle vous tenez tant. À présent, que puis-je craindre encore ? Je vais donc vous dire ceci cent fois : je vous aime, maman. »

Je pliai la feuille soigneusement et la mis dans mon sac, entre mes flacons. Je composai le numéro de la maison, les mains tremblantes. Grand-mère prit le téléphone. Maman n'était pas là. Oncle Pan était envoyé à l'hôpital en ambulance. Il avait eu une crise soudaine. Grand-mère ignorait dans quel hôpital ils étaient allés. Papa dormait déjà.

Il fallait trouver maman. Il fallait attendre. J'appuyai une main sur mon sac où roulaient les flacons. J'avalai ma salive.

Le garçon m'apporta l'addition. La patronne avait perdu son sourire. Les tables et les chaises par contre me retenaient par leur chaleur. J'hésitai quelques secondes et je sortis.

31

Je me dirigeai vers la gare. Pour jouer à la vraie voyageuse. Histoire aussi de me trouver un abri temporaire. Je pressais le pas. Les rues étaient désertes. Mon ombre seule m'accompagnait. Des lumières intimes sortaient des fenêtres des bâtiments. Je relevai le col de mon manteau. Un chat traversa la rue et plongea en vitesse dans une ruelle. La gare était à quelques mètres. Je pensai soudain aux histoires de malfaiteurs. Et je me mis à courir, ce qui me fit du bien. Je n'avais plus froid et paraissais plus normale. La voix de maman entremêlée à l'air froid me frappa en pleine figure.

Pour survivre, mon enfant, il faut sans cesse rajuster les mouvements de son corps et de son cerveau. Il est important de savoir à quel moment courir ou grimper, se plier ou se redresser, réfléchir ou dormir. Surveille la direction du vent. Ne navigue jamais à contre-courant. Par exemple, ma fille, j'ai depuis peu l'impression que tu te gonfles trop devant tes parents. Alors fais-toi plus petite, baisse tes yeux, et encore et encore... oui, comme ça. Elle n'est pas mal, cette posture, n'est-ce pas? Pas trop douloureuse? Tu t'habitueras. Je ne gâte pas les enfants, moi. C'est pour ton bien, tu sais. Rien que pour toi. Un bon exercice qui t'aidera à mieux réussir ta vie, ton mariage et ton travail...

Le tapage de la gare me plaisait. Des gens étaient allongés par terre devant les portes d'entrée. Ils étaient si nombreux qu'on devait faire attention pour ne pas leur marcher sur le corps. La plupart d'entre eux étaient des provinciaux qui ne pouvaient pas se payer une nuit à l'hôtel, même si leur train ne partait que le lendemain matin, ou même plus tard. Je voulais une place parmi ces étrangers. Je me sentais bien ici. Comme eux, je n'étais pas dans ma ville. Je n'étais qu'une passagère. On me fumait au nez des feuilles fortes et criait à mon oreille avec des accents déroutants. Je souriais. La jeune fille auprès de moi avait les dents de la couleur du Soleil. Elle me posait des questions. Je ne répondais pas parce que j'avais l'accent de la ville. Je n'avais pas de ville mais j'avais un accent. Dès que j'ouvrirais la bouche, ces gens-là sauraient que j'étais différente d'eux et trouveraient étrange que je sois parmi eux, là où je ne devais pas être.

De temps en temps, quelqu'un partait. Les autres le suivaient d'un œil envieux. On se précipitait vers le wagon. Et on avait le cœur déjà ailleurs. Ceux qui restaient vérifiaient encore une fois leur billet et leur montre.

Je n'avais ni montre ni billet.

Après minuit, la gare s'apaisa et refroidit. Incapable de dormir, j'avais envie de récrire ma lettre. Je voulais dire à maman, sans calcul et sans retenue, que je regrettais ma petite chambre, ma prison. Vraiment, j'étais sans maman pour la première fois. J'imaginais sa colère et son inquiétude. Nous étions toujours ensemble. Nous mangions à la même table, nous allions aux mêmes cinémas et aux mêmes magasins. Elle aimait me donner des conseils sur le choix des vêtements et je n'arrivais pas à prendre de décisions sans elle. Était-ce à cause de l'abondance de ses conseils que j'étais devenue indécise, ou mon caractère indécis lui inspirait-il sans cesse des conseils ? Je ne distinguais pas la cause et l'effet. À quoi bon, d'ailleurs ?

Il était peut-être tout naturel que j'aie besoin de conseils et que maman ait des conseils à donner. Une mère devait avoir le lait dont sa fille avait besoin. Je me félicitais d'avoir trouvé cette comparaison et j'étais sûre que maman aimerait l'entendre, surtout maintenant qu'elle devait s'habituer à sortir sans moi, sans fille, seule dans la foule.

Dès le lever du jour, je m'empressai de quitter cette gare où abondaient les voyageurs et où maman ne se présenterait jamais. Attachée à son mari, à son frère, à ses collègues, à ses voisins et à sa fille surtout, maman n'avait ni le temps ni l'envie de voyager. D'ailleurs, avait-elle vraiment besoin de se déplacer pour voir le monde ? Une mère ne visitait pas le monde, elle le portait. Elle avait fait un enfant, elle. Et ce à partir de rien. Elle n'avait eu que des légumes ou presque pour se remplir l'estomac, et son ventre avait quand même gonflé. Quelque chose y avait pris forme, quelque chose qu'on qualifiait d'humain. Une évolution s'était déroulée à l'intérieur de son corps. Ses entrailles en avaient enregistré toutes les douleurs. Elles étaient devenues par conséquent des organes historiques. Aujourd'hui, le fruit de cette évolution se dressait cruellement devant elle comme une ironie, vert et inutile, amer et impur. Elle regardait sa fille, et elle comprenait le monde. Le sage n'avait pas à franchir le seuil de sa chambre pour devenir sage. Alors, elle avait ouvert les mains. Elle préférait donner la liberté à son enfant. Elle avait perdu son temps pour rien. Elle voulait maintenant renoncer à l'avenir car, que voulez-vous, elle vivait à une époque ingrate.

Comme je n'avais pas écrit une autocritique pour le directeur, je ne pouvais pas me rendre au bureau. Je retournai donc au restaurant Bonheur.

32

Mon thé avait depuis longtemps refroidi. Je fixais le fond de ma tasse où se présentaient les variations des feuilles. Dehors, le Soleil brillait bruyamment. Je relus ma lettre. Un sentiment confus et inattendu me remonta à la gorge. Il se transforma vite en larmes chaudes. N'est-ce pas que tout finit par se transformer en eau ? La lettre était elle aussi de plus en plus mouillée. Cette lettre mensongère, cette fausse déclaration d'amour à maman me semblait maintenant devenue une chose sincère. Je voulais la frapper très fort – oh ! combien elle le méritait ! – mais j'en souffrais avant elle. J'étais crispée de douleur. Je pliais sous les coups futurs dont j'accablerais maman en m'accablant moi-même. Jamais on ne devait trahir sa mère, maman m'en avait bien avertie.

En m'apportant une nouvelle théière, on renversa, peut-être exprès, un flacon débouché que j'avais mis sur la table. Des pilules blanches roulèrent par terre, rapides comme des étoiles filantes, et furent tout de suite écrasées par des pieds innocents. Il fallait que j'attende encore un peu. Restait à savoir si c'était le bon moment et le bon endroit pour faire la bonne chose. Question aussi de manger un dernier rouleau de printemps, d'écouter une dernière fois le tapage que faisaient les habitués du restaurant et de regarder encore une fois par la fenêtre les couleurs qui filaient dans la rue. La patronne me regardait par-dessous.

Je lui envoyai un sourire. Je ne suis pas encore partie parce que j'ai perdu mon billet, lui criai-je. Elle fit semblant de ne pas m'entendre, se tourna vers les autres clients et ricana à haute voix à propos de je ne sais quoi.

À ce moment, une ombre tomba de la fenêtre à côté de moi. Les pilules ayant survécu prirent alors une couleur grisâtre. Sans avoir à lever les yeux, je savais que c'était Chun. Il avait sa manière à lui de faire son apparition. Nos regards ne se seraient pas rencontrés si, ce jour-là, à bicyclette, il n'avait pas tourné brusquement au coin d'une étroite ruelle. S'il n'avait pas surgi devant moi en cachant le Soleil derrière son dos, en me faisant lâcher un agréable cri d'effroi, me rendant soudain très perdue, très femme, très désirable. Et maintenant, il gesticulait grotesquement derrière la vitre. Il était si proche et si loin. Je lui souris. Aujourd'hui j'étais prête à sourire à tout le monde. Les yeux fixés sur mes flacons et sur mon thé, son visage devint humide. Je remplis ma tasse et y tendis mes lèvres avec prudence. Je fus tout de même piquée par la chaleur. Alors je perdis ma bonne humeur. Je sentis vibrer en moi une irritation contre ce thé, contre ce liquide blessant qui refusait de s'introduire dans ma gorge, contre ce méchant endroit où je me faisais épier, contre Chun qui semblait être né pour s'interposer là où je ne l'attendais pas. Sur ma table, je voyais l'ombre s'agiter de plus en plus. J'eus un mauvais pressentiment. Cette ombre, qui me suivait et m'avalait à travers la vitre, me faisait penser à maman. Elle aussi avait cette allure amoureuse et oppressante. Je dus encore une fois retarder mon projet. Je remis les flacons dans mon sac. Je froissai la lettre et la jetai rapidement dans une poubelle à côté.

Il entra dans le restaurant et chuchota avec la patronne. Celle-ci pâlit et prit le téléphone. Sans être invité, Chun vint s'asseoir devant moi. Il souriait comme si de rien n'était. Comme s'il n'avait pas aperçu des pilules, n'avait pas pleuré et ne m'avait pas trahie en disant à la patronne des choses sur moi. Comme s'il n'était pas le complice de maman. Il souriait parce qu'il croyait connaître mon destin mieux que moi. Je lui dis que je devais aller aux toilettes. J'aperçus une étincelle de soupçon dans ses yeux. Il sortit un bras comme pour m'empêcher de quitter la table. Mais il se résigna, en poussant un soupir presque pathétique.

J'entends maintenant encore le soupir de cet homme rouler à travers l'espace. Je vois son ombre, ainsi qu'un nuage, tourner autour de moi. Lorsque le vent s'élève, je perds conscience et j'ai l'impression d'être avalée.

33

Passant auprès de la patronne, je l'entendis dire au téléphone que ce n'était pas encore arrivé mais que, de toute évidence, il fallait se dépêcher et prendre des mesures. Je devinai qu'elle parlait de moi. Vraisemblablement à la police. Ou à maman, qu'elle connaissait bien. Ou même à l'hôpital psychiatrique. Ou à la salle d'urgence où on faisait des lavements d'estomac. Là-bas, j'aurais vainement protesté, on ne me croirait pas – on ne croit pas un esprit dérouté – on me viderait l'estomac en toute hâte. On m'ouvrirait même le ventre pour être sûr de sa pureté. Pour cela, maman n'hésiterait pas à signer l'approbation. Elle en avait bien le droit, tout le monde le savait. Plus tard, elle se vanterait de m'avoir accordé deux fois la vie. Plus tard, elle essayerait de me consoler en disant que ce n'était rien de se faire ouvrir le ventre : elle l'avait subi elle aussi. Elle serait ravie de me voir avec une plaie sur le ventre tout comme elle car, de cette façon, je lui ressemblerais un peu plus.

Je me lançai dehors. Les choses allaient mal. J'aurais dû me méfier davantage de Chun. Il courait derrière moi. J'entendais ses pas obstinés. Il ne voulait pas me lâcher. Je me retournai et le trouvai épouvantable. Avec des veines gonflées sur le front, il faisait penser à quelque chasseur implacable. Il courait après moi comme maman, avec détermination. Je soupçonnais qu'il était envoyé par maman ou que c'était l'incarnation même de maman qui me poursuivait. Je tentai de l'ébranler. Je lui fis une grimace très douce. Il ne réagit pas. Il ne pouvait pas se laisser distraire à un moment pareil, ce serait ridicule. D'ailleurs, il ne voyait plus mon visage. J'étais devenue une forme mouvante qu'il devait rattraper. Les vrais chasseurs n'étudient pas les états d'âme : la proie n'a jamais de visage. Ils ne font que mesurer la vitesse. Ils vivent en dehors des autres et d'eux-mêmes. Ils se trouvent complètement dans le temps, rien que dans le temps. La peur traversa mon corps et descendit jusque dans mes jambes. Elles s'alourdirent vite. Je trébuchai. Mais je m'efforçai d'aller en avant. Je gardais encore l'espoir de lui échapper. Je regrettais vivement d'avoir accepté, un certain dimanche après-midi, sous un ciel rempli de poussière d'automne, le foulard rouge sang dont il m'avait enveloppé le cou. J'avais l'impression de porter ce foulard à cet instant même. J'avais très chaud. Le foulard me serrait de plus en plus et me faisait mal à la gorge. Sa couleur m'aveuglait. J'essayais de me cacher dans la foule. Alors Chun se mit à crier :

— Arrêtez cette fille !

Il pointa son impitoyable doigt vers moi, comme vers une ennemie. Les autres s'excitèrent : « Pourquoi ? Elle t'a volé quelque chose ? »

Je quittai le trottoir hostile. Je descendis vers les bicyclettes, les voitures, les camions et les autobus. Je ne comprenais pas dans quel sens ils circulaient. L'important était de s'accrocher à quelque chose, de se protéger contre cet homme qui me pourchassait comme un fou. Je n'arrivais vraiment plus à lever les pieds. Alors je me mis à ramper. La surface de la chaussée était d'une dureté rassurante. Une île solide, enfin, qui elle seule ne bougeait pas. Comme les passants criaient à tue-tête sur le trottoir, les chauffeurs tournaient les yeux vers eux, sans doute d'un air intrigué et amusé. Lorsque le camion roula sur moi, il ressembla à une montagne noire renversée. Ou plutôt ce fut moi qui plongeai dans cette ombre plus énorme que celle de Chun. Il était là quand j'ouvris les yeux. Un liquide, oh! encore du liquide, mais cette fois-ci plus épais, coulait lentement sur son visage. Je le regardai avec tristesse. Je lui dis :

— Ce n'est pas ce que je voulais.

Je n'entendis pas mes derniers mots. Les autres non plus, je crois. Une dernière parole, une dernière série de sons, une dernière volonté était ainsi perdue à jamais. Ma tête était devenue un chaos. Le rouge et le noir y circulaient à une allure déraisonnable. Je réussis pourtant à garder les yeux ouverts. La lumière autour de moi devenait de plus en plus intense. La rue était d'une blancheur tranchante. Le soleil se mettait à dévorer mon corps. Le temps pressait. Je m'inquiétais. Je cherchais maman. J'espérais qu'au moins elle trouverait ma lettre. Mais je ne vis que le visage de Chun penché sur moi. Il était rempli d'une douleur de maître volé. Encore une fois, j'y aperçus un mélange de désespoir et de reproche semblable à celui que portait maman.

34

Je me souviens que Chun, resté au bord du trottoir, a hurlé : « Imbécile ! » Ou peut-être : « Imbéciles ! » Je ne sais pas s'il parlait du chauffeur dont le véhicule était en train de rouler sur mes hanches, ou de moi dont la chair était sur le point de perdre sa qualité. Ou de lui-même qui aurait dû d'abord me laisser avaler les pilules et ensuite me faire laver les entrailles, plutôt que de me livrer ainsi au poids des roues qui rendaient mon ventre irréparable. Ou de maman qui avait eu l'imprudence de me laisser acheter des pilules et, surtout, qui avait mis au monde une fille destinée à le tourmenter.

Vraiment, je ne serais pas fâchée s'il me traitait d'idiote. J'ai du mal à croire, encore en ce moment, que ma vie se soit achevée aussi bêtement. Un accident qui dérange la circulation. Semblable à celui de mon père. Un hasard. Une fin médiocre, sans volonté ni émotion. Sans importance ni profondeur. Une mort légère dont on ne se souviendra ni pour le meilleur ni pour le pire. Je me demande maintenant si c'est moi qui ai voulu la mort ou si c'est elle qui m'a choisie. Il faudrait aller vérifier la liste de Seigneur Nilou. Était-ce déjà mon tour de toute façon ? M'avait-il envoyée dans le ventre d'une ennemie pour me retrouver plus rapidement ?

Il aurait dû venir me guider chez lui, ce Seigneur Nilou, et me faire inscrire en bonne et due forme. Mais il ne vient toujours pas. Depuis combien de temps déjà ai-je flotté ici ? Je n'ai jamais vu un endroit si neutre, si privé de couleur, de senteur, de goût, de forme, de poids et de chaleur. N'est-ce pas cela, néanmoins, que j'ai tant désiré ? L'éternité stérile et le jardin sans fleurs.

Non seulement j'ai mal vécu, je pense, mais aussi je suis « mal » morte. Ce camion imbécile, en écrasant mon corps, a complètement transformé l'aspect des choses. Maman supporte beaucoup mieux un accident qu'un suicide. Sa conscience ne sera pas troublée, tant qu'elle ne se croit pas la cause directe de ma mort. C'est pourquoi, pendant ces jours de deuil, elle est capable de se tenir debout. Son dos ne se courbe pas autant que je l'ai souhaité. Le devant de sa chemise est trempé de larmes. Mais cela ne suffit plus pour me consoler. D'ailleurs, les larmes soulagent. Autrefois, quand maman me faisait souffrir, je n'avais pas de larmes. J'avais les yeux secs et vides. En revanche, mon cœur saignait. J'ai dit à maman que mon cœur saignait. Elle ne voulait pas l'entendre. Elle disait que j'exagérais. Je savais qu'elle ne pouvait jamais me croire, justement parce que je n'exagérais pas assez. Alors j'ai pensé aux pilules. Je comprends maintenant que notre mère est notre destin. On ne peut se détourner de sa mère sans se détourner de soi-même. En perdant sa mère, on perd sa force et son abri, on est livré à l'effrayante fraîcheur de l'inconnu et ses projets éclatent en mille morceaux dans les accidents. J'ai voulu attaquer maman, n'est-ce pas, alors mes os se sont brisés contre ses os et mon âme devient un chien sans maître. Les feuilles tombées retournent à leur racine, les hommes morts se réunissent chez Seigneur Nilou. Mais les traîtres à leur mère continueront, morts comme vivants, à vagabonder, à se voir exclus du cycle de la vie, à être partout et nulle part. À ne pas être.

35

Sans Seigneur Nilou, je ne sais pas où me diriger. Je ne reconnais plus la gauche ni la droite, plus le haut ni le bas. Plus de direction. Autrefois, je cherchais une direction. Je voulais faire des choix. Je voulais choisir une mère, ou du moins la faire changer à mon gré. Choisir mon homme. Choisir entre la vie et la mort ainsi que la façon de mourir. Maintenant, en même temps que de mon corps, je suis déchargée de tous ces choix qui jadis m'ont causé tant de chagrins et qui maintenant sont devenus insignifiants comme la poudre de ma chair.

Les gens vont et viennent en émettant une fumée épaisse qui me sépare d'eux. Je vois mal ce qui les pousse à s'agiter. Maman continue à manger, à remuer tantôt ses lèvres, tantôt ses membres et à dormir. Elle prononce des choses que je comprends à peine. J'ai l'impression qu'elle parle de moi. Déjà, elle paraît moins triste. Je pense que même si j'avais réussi mon suicide, je n'aurais pu la faire souffrir davantage. D'ailleurs, tout cela n'a plus d'importance. Ma haine a brûlé dans le four où on a lancé mon corps. Maman a dans son air cette candeur propre aux vivants qui croient que la mort n'est qu'un accident. Des vagues de poussière, sortant des ruines des ancêtres et portant des générations de déchets, roulent autour d'elle et blanchissent ses cheveux sans qu'elle s'en rende compte. Je découvre pour la première fois que maman est en fait aussi innocente et vulnérable comme les autres. Elle vit encore. Elle respecte ses horaires. Elle marche d'un pas héroïque et s'assoit comme une montagne. Elle dort d'un sommeil profond. Elle ignore la poussière en train de la remplir, elle et tout ce qui l'entoure. Lorsque la poussière deviendra trop épaisse, l'eau de la mer envahira la ville et les corps seront nettoyés. Je vois maman dans le ventre d'un poisson. Et je me vois dans le ventre de maman. Nous avons mangé tant de poissons. Maman me paraît maintenant moins solide. Je l'aime mieux ainsi. J'aurais voulu le lui dire. Mais c'est trop tard. De toute façon, cela vaut mieux ainsi.

Chun est enfin sorti avec une jeune fille. Je les vois marcher côte à côte dans cette rue où il m'a poursuivie furieusement. Leurs manches se frôlent. Il semble vouloir éviter le bras très charnu de sa copine, son souvenir de moi étant encore présent. Mais lui, elle et moi, nous savons tous qu'il va prendre ce bras bientôt, pour on ne sait pas encore combien de saisons. Le soleil brillait dans leurs yeux. Et ils sourient. C'est, me semble-t-il, le plus beau couple que j'aie jamais vu.

Il y en a qui descendent vite la pente. Papa reste de plus en plus dans son lit. Grand-mère commence à perdre ses cheveux, sa mémoire et ses dents. Oncle Pan déménage à l'hôpital où des femmes énormes attendent leur bébé. Et voilà que maman a acheté un jeune oiseau et l'a mis dans une cage suspendue sous la fenêtre. Elle lui parle quelquefois. Une tendresse nouvelle s'épanouit sur son visage en y effaçant une tristesse usée. Elle lèche sa plaie, se soigne bravement. Elle continue à aimer à sa façon. Elle se met à éduquer et à discipliner son oiseau, pour se réconforter de son échec antérieur, se préparer un avenir quelconque, léguer son patrimoine et assurer une continuité à sa vie. Personne à sa place ne pourrait agir autrement. Il faut boucler la boucle tant bien que mal. Ce qu'elle est en train de faire me paraît très émouvant.

Or, ce n'est peut-être pas elle, cette femme à côté d'une cage d'oiseau. Je ne suis pas très sûre de la reconnaître. Je commence à perdre la vue, à mélanger les proches et les étrangers, les gens et les bêtes, les êtres et les choses. D'ailleurs, je ne peux plus distinguer aujourd'hui d'hier. Je ne vois pas de demain. Je me rends compte alors que je suis bel et bien morte. Quand on est vivant, on évalue le temps. On compte les années, les saisons, les journées et les secondes. Rien n'échappe à ce calcul. Même la lumière et le sable ont un âge. De cette façon, on se donne l'impression de posséder un nombre considérable de saisons, encore plus de journées et enfin d'innombrables secondes. On s'assure d'avoir le temps de tout faire, de s'aimer et de se haïr, de tout construire et de tout démolir. Pour participer à tout cela, il faut avoir un corps vivant. Alors je suis mise à la porte. Quel soulagement enfin de se trouver hors de ce jeu interminable, d'être à l'abri du temps, de ce bouillonnement rythmé des amours et des rancœurs, des plaisirs et des ennuis, des naissances et des morts, des parents et des enfants... Mais comment connaître ce bonheur nouveau, intemporel et vide, sans avoir vécu à l'intérieur du temps, sans avoir étouffé dans sa plénitude ? Comment éprouver la joie glaciale de l'étranger sans avoir déjà eu une patrie ? Et enfin, comment apprendre à se débarrasser d'une mère sans être jamais né ? Être l'enfant d'une femme est donc une chance qui permet de connaître le bonheur de ne pas l'être. Une chance à laquelle on doit beaucoup de gratitude.

Je me presse de contempler cette ville devenue de plus en plus floue, lointaine et incompréhensible. Ces choses pourtant familières, rues et rivière, mères et rats, flottent autour de moi en se décomposant et en changeant de couleur. Et moi aussi, je flotte. Je vais très loin. Pour la première et la dernière fois, sans doute, j'écoute les murmures des Alpes, je touche la chaleur du Sahara, je bois les eaux amères du Pacifique. Tout paraît très beau quand il n'y a plus de choix à faire, quand on aime sans objet, quand Seigneur Nilou ne vient pas, quand on n'a plus de destin.

J'entends encore des voix méfiantes ou sympathiques qui parlent de moi, puisque dans le cimetière, la boîte qui enferme une partie des cendres de mon corps est encore à sa place, encore bien rangée, alors que certaines boîtes sont déjà en désordre ou perdues. La lumière envahit tout, ivre et triomphante. Le paysage recule, rétrécit et s'efface. Je ne vois plus rien. Je ne vois pas maman. Je n'ai plus personne, ni maman ni Seigneur Nilou. Mon souvenir de maman se fond dans cette lumière uniforme. Ma mémoire s'évapore ainsi que le nuage qui me porte. À travers le brouillard de cette mémoire, me parvient, comme une lamentation enchantée, une dernière voix humaine, le cri d'un nourrisson peut-être :

Maman !

OUVRAGE RÉALISÉ
PAR MÉGATEXTE À MONTRÉAL

REPRODUIT ET ACHEVÉ D'IMPRIMER
EN JUIN 1998
PAR L'IMPRIMERIE FLOCH
À MAYENNE
SUR PAPIER DES
PAPETERIES DE JEAND'HEURS
POUR LE COMPTE DES ÉDITIONS
ACTES SUD, ARLES
ET
LEMÉAC, MONTRÉAL

DÉPÔT LÉGAL
1re ÉDITION : AOÛT 1995
N° impr. : 43951.
(Imprimé en France)

L'INGRATITUDE

"Je brûlais d'envie de voir maman souffrir à la vue de mon cadavre. Souffrir jusqu'à vomir son sang. Une douleur inconsolable. La vie coulerait entre ses doigts et sa descendance lui échapperait. Mon corps commençant à pourrir par ces journées chaudes, ses gènes cesseraient de circuler dans mes veines, se perdraient au fond de la terre uniforme. Elle n'aurait plus d'enfant. Sa fille unique s'envolerait loin d'elle ainsi qu'un coup de vent mortel croise un arbre en le secouant, mais sans s'arrêter, impitoyable."

(Extrait)

Pour en finir avec l'amour maternel qui l'étouffe, pour échapper à l'étau social et au désespoir d'une vie sans issue, une jeune fille s'engage sur la seule voie possible : la dernière.

Née en 1961 à Shanghai, Ying Chen vit maintenant à Montréal. Finaliste au prix Femina, L'Ingratitude *a reçu le prix Québec-Paris, le grand prix des Lectrices de* Elle Québec, *et le prix des Libraires du Québec.*

« Générations »

TEXTES FRANÇAIS DU TEMPS PRÉSENT

ACTES SUD *LEMÉAC*

ISBN 2-7609-1518-2
DIFFUSION PROLOGUE

N° D'ÉDITEUR : 1815
DÉP. LÉG. : AOÛT 1995
ISBN 2-7427-0589-9
F7 3409
80 FF